23 - IV - 2003

Querido hijo,

Felicidades en el día de tu Santo. Besos para todos.

En vuestro dormitorio en Villalba hay una lámina —que mi padre, me regaló— con una Virgen y su Hijo. La leyenda está en portugués, pues la lámina vino a Zaragoza desde El Brasil. Traducida ± dice: "Educad al niño para ser feliz en la Vida, más que para competir. Así, sabrá el VALOR de las cosas y no su PRECIO.

Hay una gran diferencia entre estas dos palabras.

Ojalá encuentres, ENCONTREIS aquí "algo" que os ayude a que vuestros hijos Xavier y Sebastián sean felices... te quiere siempre muchísimo, y te pide perdón por los "errores" cometidos. Tu madre

Bernabé Tierno

LA EDUCACIÓN INTELIGENTE

vivir
mejor

Bernabé Tierno

LA EDUCACIÓN INTELIGENTE

Claves para descubrir y potenciar lo mejor de tu hijo

temas'de hoy.

Colección: Vivir Mejor

Paseo de Recoletos, 4. 28001 Madrid
www.temasdehoy.es
Diseño de la colección: Pep Carrió/Sonia Sánchez
Diseño de portada: Jorge Gil Cerracín
Fotografía de portada: Stock Photos
Fotografía del autor: Gloria Rodríguez
Primera edición: noviembre de 2002
ISBN: 84-8460-234-6
Depósito legal: M. 47.339-2002
Compuesto en Fernández Ciudad, S. L.
Impreso en Lavel, S. A.
Printed in Spain-Impreso en España

ÍNDICE

A tantos padres y educadores responsables y conscientes de que la forma en que llevan a cabo su acción educativa en las familias y en las escuelas determina en buena medida el futuro del individuo y de la sociedad.

Nadie es más importante que el educador, porque tiene en sus manos la posibilidad de despertar y alentar lo mejor del educando, así como de depositar en su mente y en su corazón la semilla de la bondad y del bien.

Introducción. ¿Por qué un nuevo libro sobre educación?

El primer deber del hombre es desarrollar todo lo que posee, todo aquello en que él mismo puede convertirse.

André Maurois

Sé que más de un lector se estará haciendo la misma pregunta que me hizo una joven periodista antes de iniciar las vacaciones estivales del año 2002, cuando le comenté que estaba terminando un libro sobre la práctica educativa. «¿Por qué un nuevo libro sobre educación? ¿No te aburre escribir tanto sobre un mismo tema?» «No sólo no me aburre en absoluto, sino que me apasiona —le contesté—, sobre todo porque éste es el libro de prácticas que durante años me han pedido padres y profesores. No tenía claro cómo plantear el comienzo del mismo y tú me lo has sugerido con tu pregunta.»

Para satisfacer tu curiosidad, amable y fiel lector, expongo a continuación las razones de esta nueva obra sobre educación.

- *Primera razón*. Porque desde hace años me rondaba en la cabeza tanto el título, *La educación inteligente*, como el contenido: un libro de prácticas para todo educador. Después de haber escrito, entre otros, *Educar a un adolescente*, *Guía para educar en valores*, *Saber educar*, *Todo lo que necesitas saber para educar a tus hijos* y cuatro volúmenes sobre valores humanos, necesitaba decir algo distinto sobre el tema que me apasiona, la educación, y hacerlo de manera sencilla, para que fácilmente se comprendiera y se llevara a la práctica. Y también quería dirigirme no sólo a profesionales de la educación, sino a padres no demasiado preparados y a profesores con poca experiencia pero con ganas de convertirse en educadores eficaces. En definitiva, éste es un libro con soluciones, para que toda persona de buena voluntad que se vea en la obligación de educar a un niño o a un adolescente, y no sepa cómo intervenir de forma inteligente en situaciones de conflicto, sepa qué es lo que debe hacer.

• *Segunda razón.* Porque este libro es fruto de la experiencia que he venido acumulando en conferencias, cursos y talleres educativos en los que he utilizado como sistema de aprendizaje la puesta en escena de situaciones reales de conflicto entre padres e hijos, marido y mujer, hermanos... El libro plantea numerosísimas y diversas situaciones educativas tomadas de la vida real, y aporta soluciones adecuadas y eficaces que se resumen en las veintidós claves de intervención inteligente.

A menudo, al terminar una conferencia a la que habían asistido los padres y también los hijos, les invitaba a subir a la tarima, junto a mi mesa, para escenificar brevemente ante el público asistente la última situación de conflicto que habían vivido. Yo les pedía a los «actores» que nos ofrecieran la réplica exacta de lo ocurrido días antes en su casa. Y, a continuación, le sugería al educador que analizara, siguiendo la formación recibida en la conferencia, su propia actuación, señalando los fallos educativos y la forma en que deberían haber actuado para que la intervención educativa hubiera sido verdaderamente inteligente: sin amenazas, sin gritos, sin descalificaciones, sin súplicas...

Después, los mismos protagonistas u otros voluntarios de entre los asistentes representaban de nuevo la misma escena, pero aplicando las claves de intervención inteligente necesarias. De este modo aprendían, porque lo vivían en directo, las acciones inteligentes destinadas a propiciar la colaboración y la buena voluntad del educando.

Este libro está escrito para llegar a cualquier rincón donde haya un educador lo suficientemente humilde y tan inteligente como para aplicar estos contenidos a su práctica educativa diaria.

- *Tercera razón*. Porque desde hace casi cuarenta años he tenido muy claro que, entre el autoritarismo y la «bofetada a tiempo», entre las actitudes impositivas y porque sí y la falta de autoridad o permisividad, entre el mimo y el dejar al niño a su libre albedrío, había un recomendable término medio: el del *sentido común*. Éste es el que cursa toda intervención inteligente y, por tanto, la educación eficaz que hace posible que nuestros hijos y alumnos se sientan impulsados a cooperar, a poner de su parte, a corregir sus fallos y a mejorar su conducta. Las páginas que siguen explican cómo es la educación con sentido común, sin necesidad de extenderse en complicadas teorías educativas.

- *Cuarta y última razón*. Porque desde hace tiempo vienen sugiriéndome este libro padres, profesores y educadores en general. «Las teorías y corrientes pedagógicas y psicológicas están muy bien —suelen afirmar—, pero lo que necesitamos es que alguien que sepa mucho del tema y tenga suficiente experiencia nos enseñe *cómo se hace*.» Es decir, cómo hay que lidiar el toro de la educación día a día, cómo intervenir de manera inteligente cuando, por ejemplo, un hijo de 14 años es un fracasado escolar, se niega a estudiar, se le cambia de colegio y ningún profesor sabe qué hacer con él.

Precisamente, *La educación inteligente* enseña a los educadores a encontrar la forma más adecuada de intervenir con éxito, según las circunstancias, el pasado y las aptitudes y actitudes del educando. También ofrece información sobre cuál debe ser la acción inteligente del propio educando, que ha de cambiar a mejor y superarse para lograr sus objetivos. Después de leer cómo debe intervenirse en diferentes situaciones educativas de conflicto, el educador sabrá encontrar el resorte psicológico pertinente a cada caso, las palabras adecuadas y el punto de apoyo del que servirse con un determinado sujeto en una circunstancia concreta. Aprenderá, pues, a intervenir de manera inteligente.

Un libro sobre la educación inteligente debía incluir un capítulo sobre cómo educar a los más inteligentes, es decir, a los niños superdotados. Cuando me disponía a escribirlo, coincidí en un vuelo con una persona especialmente capacitada y con suficiente experiencia como para abordar este tema. Me refiero a Josep de Mirandés, presidente de la Asociación de Padres y de Niños Superdotados de Catalunya —entre otros cargos—, quien generosa y amablemente se prestó a hacerme este favor. Así pues, el apéndice II, titulado «La educación de los más inteligentes. La asignatura pendiente de nuestro sistema educativo» es de su cosecha y estoy convencido de que será de gran utilidad para todos los educadores. Desde aquí le expreso mi profundo agradecimiento.

I. ¿Qué entendemos por educar?

La educación consiste en ayudar al niño a llevar a la realidad sus aptitudes.

Erich Fromm

Cuando usted finalice la lectura de este libro, sin duda tendrá una idea muy clara de lo que la mayoría de los que trabajamos en educación entendemos por *educar*. En todos los libros que he publicado, en los que de manera directa o indirecta he abordado cuestiones de formación humana, así como en cursos y conferencias, he definido con detalle el término «educación». En consecuencia, para muchos no diré nada nuevo al respecto, pero es importante tener claro desde el principio lo que el propio autor del libro entiende por tal concepto.

Lo primero es dejar bien sentado lo que NO ES EDUCAR:

— No es educar descalificar, amenazar, imponer o atemorizar.

— No es educar que los padres se culpen entre sí de la mala crianza de los hijos, que se pasen la «pelota» educativa constantemente y que el niño no sepa a qué carta quedarse.

— No es educar que un progenitor lo consienta todo y el otro sea implacable e intransigente, creando desorientación y confusión en el niño.

— No es educar que no haya un entendimiento y una unidad de criterios, unas normas claras y precisas, para que los hijos sepan a qué atenerse.

— No es educar que, según sople el aire del estado de ánimo del padre o de la madre se apliquen distintos parámetros educativos: «Si está de buenas mi papá, hacemos lo que nos da la gana, pero si viene cabreado, todo le parece mal.»

— No es educar que los padres pretendan que sus hijos cambien de conducta recurriendo a medidas torticeras como, manipulación, chantaje, sentimiento de culpa, súplica o llantinas.

— No es educar tampoco el decirle al niño cómo debe ser o cómo debe comportarse.

Se trata de algo mucho más profundo y ambicioso. SÍ ES EDUCAR:

— Ayudar a un ser humano a descubrir lo mejor de sí, potenciarlo en lo posible para que llegue a ser plena y libremente él mismo, oriente su vida en beneficio propio y de los demás, y sea feliz porque sepa procurarse muchos momentos gozosos.

— Ayudar a la persona inmadura, teniendo muy claro que el educador sólo es un medio para que el niño o el adolescente, que es el agente de su propia formación, se construya y eduque a sí mismo. Se trata de un proceso interno muy subjetivo que nadie puede asumir por otro.

— Tratar a cada hijo como un ser distinto, valioso, único e independiente, y hacerlo con mucho amor.

— Enseñar a los hijos a pensar por sí mismos, a utilizar adecuadamente su libertad y a guiarse por la sensatez. Este camino les reportará bienes para su cuerpo, su mente y su espíritu.

— Ayudar a los hijos a aceptar y encarar las consecuencias de sus resoluciones y decisiones, de sus actos.

— Asumir los progenitores con humildad y eficacia la parte de error que les corresponde en la deficiente o mala educación de sus hijos y poner remedio cuanto antes.

— Predicar con el ejemplo de una vida coherente, respetando y asumiendo los valores, las virtudes y las habilidades que pretendemos inculcar.

— Favorecer una educación integral en las distintas áreas: conocimiento, lenguaje, sociabilidad, arte, espiritualidad...

— Descubrir en familia con los hijos la dicha de sentirse unidos, cercanos, seguros, comprometidos y felices. Disfrutar de la fuerza que da el amor.

Si atendemos al sentido etimológico de la palabra latina *educare* («conducir desde»), vemos que significa guiar, orientar, conducir a alguien desde su realidad actual (edad, nivel de maduración, aptitudes, actitudes...) y desde sus carencias y limitaciones, hacia una superación de las mismas y un pleno aprovechamiento de las nuevas posibilidades. Pero *educare* también significa proporcionar o facilitar desde fuera, desde el entorno, desde quien ejerce de educador, las condiciones necesarias para que la persona inmadura vaya accediendo a la disciplina interior, se haga cargo de sí mismo, sea su propio educador y active y potencie lo mejor de sí mismo. Es decir, pueda *educere*: sacar, extraer, hacer patente, mostrar algo.

En conclusión, la tarea de un buen educador no es otra que mover con buen criterio los hilos de la imaginación, el tacto y la inteligencia (*educare*) para que la persona inmadura se sienta animada, motivada, impulsada a dar lo mejor de sí (*educere*) en su propia educación, tomando las riendas de sí mismo y convirtiéndose en persona responsable, autónoma y segura de sí misma. Porque la acción educativa auténtica, en sentido estricto, el cambio consciente y libre a mejor, ha de realizarlo el propio protagonista, el educando. En definitiva, nadie educa a nadie, sino que es cada cual —aunque cuente con la ayuda de los demás y otros factores— quien se educa a sí mismo.

Ahora bien, ¿qué sucede con el ejemplo?, ¿cuál es su importancia?

El niño, desde que llega al mundo, aprende por mimetismo, por imitación. Si sus padres dicen tacos y utilizan palabras groseras, el pequeño las aprenderá al mismo tiempo que otras como «papá», «mamá», «mío», «pan» o «tata». Imitará los gestos de sorpresa, afecto, desprecio, temor, odio e ira, incorporándolos gradualmente a su bagaje de sentimientos, los mismos que vea reflejados en el rostro de sus progenitores. Se aprende el lenguaje y se aprenden e imitan los sentimientos y las conductas, sobre todo cuando quien ejerce de modelo goza de una ascendencia tan importante, tan cautivadora y contagiosa como la de padres, profesores y educadores en general.

En definitiva, cualquier niño tiene en sus progenitores y educadores una de las fuentes más importantes de su aprendizaje. Y aunque, por mimetismo, copian de ellos prácticamente todo, lo cierto es que la experiencia nos dice que imitan antes y más fácilmente lo negativo que lo positivo.

Tendemos a repetir conductas que nos han reportado beneficios, placer, agrado, alegría. Si un niño observa o, sobre todo experimenta, que determinadas conductas le proporcionan placer, beneficios, buen trato o reconocimiento de los demás, lo normal es que las repita con bastante frecuencia para conseguir muchas más veces esos mismos resultados apetecibles.

El problema es que hay conductas reprobables, perjudiciales y negativas que reportan desinhibición, euforia, placer, adicción y beneficios aparentes. También es fácil habituarse a ellas, convertirse en autómatas dependientes, en consumidores compulsivos y fuera de todo control.

Ardua pero ineludible tarea educativa es llegar a conseguir que la persona inmadura descubra que muchas cosas que nos apetecen y nos satisfacen pueden no ser convenientes y hasta producir un gravísimo daño moral o psicológico, y que por ello conviene evitarlas.

Superar el principio del *placer* y acceder al principio del *deber*, de lo que conviene aunque no nos agrade, es determinante para aprender a regir el propio destino, para que cada cual se convierta en educador de sí mismo. Éste es el fin de la educación inteligente.

II. ¿Cómo es y cómo opera la educación inteligente?

Por definición, una persona se suscita por invocación, no se fabrica por domesticación.

M. Mounier

La educación inteligente es firme y cálida, genera confianza y tiene como fin educar, a ser posible sin hacer sufrir, por vías y métodos de buen entendimiento. Mantiene siempre vivo el respeto y el amor al educando, le considera un ser único de incontables posibilidades y huye del autoritarismo tanto como de la permisividad, la falta de normas y la desidia educativa.

El objetivo de la educación, como defiende M. Mounier, no es hacer sino *despertar* personas y, «por definición, una persona se suscita por invocación, no se fabrica por domesticación».

La educación inteligente corre pareja con la ciencia psicopedagógica y pone todos los medios a su alcance para que el educando, por plena y libre decisión, sin ningún tipo de coacción, elija colaborar, poner de su parte y tomar el camino de lo que debe y le conviene hacer, de lo que es bueno para él, aunque no le guste y tenga que esforzarse y vencer muchas dificultades.

La educación inteligente en familia:

- Está presidida por la unidad de criterios de la pareja a la hora de establecer unas normas bien pensadas y que todos han de asumir, y también a la hora de exigir responsabilidades. La tónica general es el amor y la búsqueda del buen entendimiento entre los diferentes miembros para alcanzar una convivencia más gratificante y enriquecedora, favoreciendo la comunicación bidireccional y la libre expresión de lo que cada uno piensa, siente y desea.

- Es dialogante, practica la escucha atenta, confía en el educando y le da oportunidades; pero también es firme, establece límites cuando es necesario y enseña disciplina, exigiendo el cumplimiento de lo acordado y de lo que se debe hacer, sin transigir en absoluto en este aspecto.
- Los progenitores —ambos por igual— procuran practicar lo que exigen y ejercen su autoridad moral respaldada con sus obras, con su conducta, porque predican con el ejemplo.
- No escatima la tolerancia, la comprensión, el perdón y la adaptación a cada hijo, a su personalidad y circunstancias, porque cada uno es distinto a los demás y necesita su educación personalizada, «a medida».
- Tampoco escatima las expresiones de reconocimiento, admiración y estima por los éxitos, pequeños o grandes, de los hijos. Está siempre muy atenta a valorar lo positivo más que a resaltar y criticar lo negativo. Ejerce un control flexible, aunque firme y constante, sobre la conducta del niño y del adolescente, pero con suficiente tacto y sabiduría como para que éste no resulte fiscalizador y agobiante.
- Procura dejar la «pelota» de la toma de decisiones en el terreno del educando, para que aprenda a elegir, a decidirse y a actuar; a equivocarse, corregir sus errores, responsabilizarse de sus actos y sentirse hacedor y dueño de su propio destino.
- Se percibe, entre otras cosas, en que los padres no descuidan el buen entendimiento y la interacción educativa con el centro educativo y con los profesores, con el fin de aunar criterios y trabajar conjuntamente para el logro de unos objetivos pedagógicos concretos.

- No se olvida de inculcar la buena disciplina desde la cuna y en un clima de comprensión, seguridad, firme exigencia y apoyo. Así se logra que los hijos cumplan sus obligaciones y deberes con arreglo a su edad, posibilidades y desarrollo evolutivo.
- Se propone como fin que los hijos sean, lo antes posible, autónomos, se valgan por sí mismos y se encuentren preparados para llevar una vida feliz y ejercer un trabajo o profesión con el que sentirse autorrealizados.

CÓMO CONSEGUIR CONDUCTAS DESEABLES (ESFUERZO Y COLABORACIÓN) DE TU HIJO

— Sorpréndele cuando es bueno y se porta bien y dile lo feliz que te hace ese buen comportamiento.

* * *

— Reconócele sus progresos, mejoras y esfuerzos privada y públicamente.

* * *

— Utiliza los incentivos y reconocimientos inmediatamente después de que ocurran las conductas deseables.

* * *

— Ofrécele alternativas a elegir que fomenten su implicación, independencia y toma de decisiones de manera responsable.

* * *

— Cuando tu hijo anticipe situaciones conflictivas y reacciones incontroladas, distráele, diviértele o dile que esperas de él una respuesta sensata y bien pensada.

* * *

— Sé un buen ejemplo a imitar en las conductas que deseas fomentar.

* * *

— Procura que a tu hijo le sea rentable hacer lo que debe.

III. ¿Cuándo se puede decir de alguien que es o está educado?

La educación es el desarrollo en el hombre de toda la perfección de que su naturaleza es capaz.

E. Kant

Hace años, impartía yo unos cursos sobre técnicas de estudio en Burgos a un grupo de jóvenes con problemas de fracaso escolar debido, más que a no dominar las técnicas de trabajo intelectual, a su falta de voluntad y autodisciplina, es decir, a su falta de madurez. En el coloquio, un joven me preguntó bastante preocupado que cómo podía saber él que ya era maduro. «Muy fácil —le respondí—. En el momento en que tú te hagas cargo de ti mismo, te responsabilices de tus actos, estudies cada día lo necesario y no tengan tus padres ni profesores que estar encima para recordarte tus obligaciones, será porque ya has madurado.»

¿A qué edad se suele alcanzar la madurez? La madurez mental y psíquica se percibe con claridad en algunos niños en torno a los 8-10 años. Son esos chicos a quienes sus padres apenas tienen que ordenarles las cosas porque ellos mismos las hacen con gusto. Pero es hacia los 14-15 años cuando un ser humano ha de tener cierto control sobre sí mismo y ser responsable de hacer lo que es bueno para él y le conviene, aunque no le guste o le resulte difícil.

¿Cuándo podemos decir de alguien que está formado, educado? Cuando ha demostrado sobradamente un nivel suficiente de madurez mental y psíquica. Sin un mínimo de autodisciplina, voluntad y práctica en hacer lo que es debido, no parece posible iniciar el proceso de la propia formación.

Somos seres dinámicos, aprendemos constantemente de nuestros errores y aprovechamos la sabiduría y la experiencia de nuestros antepasados para lograr mayores cotas de perfección y progreso. Hemos avanzado muchísimo en las diversas ramas de la ciencia, el arte y la investigación, y el hombre de hoy está a años luz de sus antepasados del neolítico o la Edad Media.

La pregunta es si el hombre de hoy, el Pepe Pérez de la vida cotidiana que nos encontramos por la calle, está formado y capacitado para saber vivir y ser feliz, e incluso si ha logrado el nivel necesario de madurez psicológica y mental sobre el que me preguntaba aquel estudiante de Burgos.

Personalmente, pienso que hemos avanzado en muchos aspectos de forma importante, pero muy poco en lo referente a la educación, entendida en palabra de Kant como «desarrollo en el hombre de toda la perfección de que su naturaleza es capaz». Sé que es una utopía, pero no hay proporción entre el avance de las ciencias y el del ser humano en su propia perfección.

Lo que percibe cualquier buen observador es que demasiada gente vive gran parte de su vida enzarzada en rencillas, dimes y diretes, crispada, triste y malhumorada por nimiedades, poco más o menos como cualquier niño cuando le han quitado un juguete o no le hacen caso sus compañeros de clase. Abundan las personas que, sin motivos suficientes, entran en cólera y se disparan como escopeta de repetición; aficionados a la preocupación, el lamento y la queja que necesitan la preocupación como si de una droga se tratara, y que a lo largo de su vida no hacen nada por cambiar a mejor, por corregir esa constante.

Pero no olvidemos la cuestión y volvamos a ella: ¿Cuándo podemos decir de alguien que es o está educado? A lo largo de los años he ido notando un importante retroceso en el número de personas verdaderamente educadas, es decir, gente que cuida sus formas, sus expresiones, que tiene sentido de la medida, que es respetuosa. Hace muy poco presencié un par de situaciones entre hijos poco educados y madres «pasotas» que no se ocupan en absoluto de lo que hacen sus hijos y no se preocupan de su comportamiento.

Estábamos mi mujer y yo esperando el ascensor para subir a casa y de pronto llegó una madre con sus hijos casi preadolescentes. No sólo no saludaron, sino que entraron como potros, corriendo y pegándose entre ellos, dando empujones y pisotones. Cuando abrí la puerta para que pasaran mi esposa y la mencionada señora, los «atilanos» (y que me perdone el rey de los hunos) irrumpieron en el ascensor los primeros, dando gritos como si estuvieran haciendo una gracia. Pero, ante mi asombro, su madre, allí presente en cuerpo mortal, siguió mascando chicle sin decirles ni pío. Entonces yo la invité a pasar: «Usted y sus hijos primero, señora, nosotros ya subiremos después.»

La otra escena es la siguiente y tuvo lugar en la playa. Dos niños mayorcitos se pusieron justo al lado de un matrimonio que tomaba el sol bajo una sombrilla. Jugando en la arena, se «rebozaban», se lanzaban paladas y no hacían sino molestar a la sufrida pareja, a quienes no dejaban disfrutar de la playa. La madre, embebida en la lectura de una de esas revistas del corazón, no intervino para nada en el asunto hasta que yo les pedí a sus hijos que por favor tuvieran cuidado, que nos estaban llenando de arena. Entonces la madre alzó sus ojos y me miró con «firmeza pedagógica» mientras me decía: «¡Que son niños, señor, y no hacen nada más que jugar! ¿Tanto le molestan los niños?» «No me molestan, señora —le contesté—, me encantan siempre, pero mucho más cuando son educados y cuidan de no molestar a los demás.»

Las vivencias y anécdotas relacionadas con la mala educación están a la orden del día. Cuando nos encontramos junto a una persona bien educada, sea niño o abuelo, con modales, tacto exquisito y cuidadosa en su forma de actuar, es tan notable la diferencia que se distingue como un día soleado de un día lluvioso. *Estar educado*, que es algo paralelo a *ser educado*, supone mantener habitualmente una actitud coherente en nuestros pensamientos, sentimientos y obras.

Estar educado es haber desarrollado y potenciado en buena medida lo mejor de uno mismo, tener un proyecto de vida, un porqué al que se dirigen todos los esfuerzos.

Podemos decir que UNA PERSONA ESTÁ EDUCADA:

- Si goza de un buen nivel de autoestima, se siente moderadamente a gusto en su propia piel y es consciente de que las dificultades y los problemas no se solventan con rabietas, quejas y lamentos, sino con capacidad, esfuerzo y empeño, es decir, con tenacidad inteligente.
- Si es responsable de sus actos, se siente hacedor de sí misma y mantiene por lo general una actitud flexible, serena y tolerante.
- Si es empática y sabe ponerse en el lugar de los demás, se adapta y sobrevive en situaciones muy difíciles o críticas, y es capaz de cambiar lo que necesariamente ha de cambiar sin que su nueva forma de vida llegue a desequilibrarle o afectarle.
- Si tiene un profundo y firme sentimiento de ser ella misma, manteniendo una posición clara ante personas, situaciones y circunstancias, pero sin tozudez y con buena disposición para admitir sus errores y ejercer una crítica constructiva de sus actos.
- Si se acepta, quiere y valora, es buena amiga de sí misma y de los demás, y hace de la comprensión y del perdón sus mejores aliados para procurarse equilibrio y paz interior, liberándose

de sentimientos destructivos como el odio, el rencor, la envidia o la venganza.

- Si sabe no ser vulnerable a las ofensas de los demás e inutiliza sus «armas» con la comprensión, el sentido del humor, la ironía no lacerante o «pasando» de sus ataques.
- Si ha aprendido a no estar disponible jamás para los malvados, los aprovechados, los «trepas», los falsos de mil caras, los listillos, los que practican la crueldad mental y el acoso moral y los que pretenden culpabilizar al otro o hacer que se sienta inferior y despreciable.
- Si ha desarrollado la capacidad de disfrutar de todo en cualquier momento y lugar y, sobre todo, de las cosas más sencillas y cotidianas. Mantiene como constante una actitud de satisfacción interna, de gozo, de alegría de vivir, y en los peores momentos y situaciones, consciente de la importancia de una visión positiva y esperanzadora, se decanta por lo aprovechable, por el lado bueno que se esconde en las personas, las cosas y las circunstancias.
- Si no se afana ni desespera tratando de que las situaciones, las personas y el mundo entero cambien o se amolden a sus deseos, que es algo tan estúpido como utópico. Siempre es uno el que debe amoldarse o cambiar según convenga y controlar la situación.
- Si es expansiva, sociable, afectuosa y vive la experiencia de una o varias amistades auténticas; pero, al mismo tiempo, si está bien dotada para subsistir en la soledad, la persecución, el desamor y el desamparo, incluso la traición, porque su gran consistencia interna, su riqueza espiritual y de profundos sentimientos, genera permanentemente energía moral, ganas de vivir, fuerzas para luchar y superar casi todo. A una persona educada le puede faltar todo, pero se tiene a sí misma.

- Si necesariamente ha potenciado y cultivado lo mejor de sí misma y, en consecuencia, busca el bien, practica la bondad en sus acciones, tiene una gran amplitud de conciencia, cultiva la mente y la parcela del espíritu, no es ajena a los problemas sociales y humanos y a las necesidades y carencias de sus semejantes, y hace lo posible por dejar tras de sí una estela de bondad.
- Si, en fin, procura que cualquiera que se acerque a ella obtenga algo bueno, provechoso y agradable, porque la persona que está educada es, nada más y nada menos, que ¡UNA BUENA PERSONA! UNA PERSONA MODERADAMENTE FELIZ QUE CONTAGIA SU PROPIA FELICIDAD.

IV. Retrato robot del educador inteligente

La educación no es posible sin que se ofrezca al espíritu una imagen del hombre tal y como debe ser.

Joeger

Un educador inteligente debe ser antes que educador una persona que esté educada, formada, tal y como acabamos de ver en el capítulo anterior. Es de pura lógica que quien pretenda educar a otros, lo menos que puede hacer es estar ya, de antemano, bien educado, porque nadie da lo que no tiene.

Además de *estar educado*, se ha de tener la capacidad de *saber educar* a otros. Y de eso trata este capítulo: de las cualidades que deben acompañar a un educador inteligente y eficaz.

En un artículo publicado en *El Mundo* el 22 de agosto de 2002, el profesor de Didáctica y de Organización Escolar de la Universidad de Málaga, Miguel Sola, criticaba la falta de formación pedagógica de los profesores de Secundaria. «Un profesor de Secundaria —afirmaba— es un licenciado en Química, Matemáticas, Biología, Historia o Filología, pero no ha recibido la formación adecuada para trabajar con adolescentes, un colectivo tan conflictivo.» La pregunta entonces es: ¿Quién educa al supuesto educador? Javier Barquín, también profesor de Didáctica y compañero de Miguel Sola, es más optimista y afirma que «la Administración parece que empieza a ser consciente de este problema y anuncia cambios».

Felicito a estos profesores por su denuncia o crítica y me uno a ellos. Desde hace veinte años, antes incluso de la publicación de mi primer libro, *El fracaso escolar,* vengo reflexionando sobre este asunto y planteando preguntas a las que nadie ha dado respuesta: «¿Quién capacita a los padres y profesores como educadores?» «¿Dónde pueden aprender psicología evolutiva, didáctica y técnicas de modificación de conducta para comprender los mecanismos que se desarrollan a lo largo de la educación?» «¿Quién les enseña a intervenir inteligentemente?» «¿Qué inversiones hace la Administración para preparar convenientemente al profesorado?»

La persona capaz de hacer realidad una educación inteligente no se improvisa. Y no hay nadie más necesario para el progreso y el futuro de un país que los educadores. No estoy hablando de *profesores*, sino más aún, de *educadores*; de gente capaz de formar seres humanos sanos de cuerpo, mente y espíritu, ilusionados con la formación integral del niño y del adolescente.

El nuevo educador debe estar capacitado para formar a personas educadas tal y como se describe en el capítulo anterior. Ha de saber que educa, más que por el dominio de la materia que imparte (si se trata de un profesor), por lo que es, por su personalidad y su conducta, por lo que dice y cómo lo dice, y por lo que hace.

El educador inteligente es constante e infatigable, y sobre todo es una persona con vocación, feliz, deseosa de transmitir valores y alentar lo más valioso y positivo en cada uno de los educandos a su cargo. Las cualidades del educador inteligente, tal y como yo las concibo, se repartirán en los tres grupos siguientes:

➔ *Condiciones morales y valores más comunes:* trato agradable, simpatía, capacidad de diálogo y de escucha, autocontrol, benevolencia, lealtad, bondad, amor y respeto al educando, autenticidad, autodisciplina, sentido del humor, fuerza de voluntad, firmeza de carácter y dotes de buen comunicador.

→ *Cualidades relacionadas con la educación:* profundo conocimiento de la psicología del niño y del adolescente, de las técnicas que permiten modificar y cambiar conductas negativas y alentar las positivas. Siempre prefiere convencer al otro que imponer castigos, porque es consciente de que la alternativa resulta mucho más eficaz.

→ *Cualidades relacionadas con la vida social:* el buen educador es un hombre de su entorno y de su tiempo, comprometido y consciente de que educa a personas para el mundo de hoy, para la vida real. Por eso es buen conocedor de la sociedad en que vive. Tanto su mente como su corazón y su sensibilidad están abiertos a todo, ya que él educa *para la vida* desde la realidad *de esa misma vida.*

El mundo de los medios de comunicación, de las nuevas tecnologías, de la cultura en todos sus ámbitos no le es ajeno; muy al contrario, sabe que es el mundo de sus alumnos y debe conocerlo en profundidad para enseñarles a vivirlo en su propio provecho.

En el capítulo II puede encontrar el lector todos los detalles para completar el perfecto retrato robot del educador inteligente, del educador ideal al que todos aspiramos. Seguramente no existe en realidad nadie que sea tan perfecto, pero tener presente este modelo puede ser bueno a la hora de intentar parecernos a él. Importante es, a mi juicio, llegar a ser un alumno aventajado de esta educación inteligente que intentamos describir. En tanto que seres inacabados, dinámicos, en constante evolución y perfeccionamiento, lo que destaca es nuestro deseo constante de mejorar y superarnos.

CÓMO EVITAR CONDUCTAS NEGATIVAS E INACEPTABLES DE TU HIJO SIN UTILIZAR EL CASTIGO

— Ignora cualquier conducta inaceptable encaminada a atraer su atención.

* * *

— Expresa clara y firmemente tu enfado durante breves segundos, pero recuerda a tu hijo de inmediato que es bueno y capaz, como demostró en alguna ocasión concreta en la que le felicitaste por su buena conducta.

* * *

— Exíjele con amable firmeza que dedique un tiempo a la reflexión serena sobre su propia conducta o retírale concesiones o privilegios a los que le dé muchísimo valor.

* * *

— Deja que las consecuencias de sus actos primarios, de su irreflexión y falta de autocontrol le demuestren claramente que estaba y está en un error.

* * *

— Recuerda que el conflicto que está viviendo es una estupenda oportunidad para la comprensión y para un cambio positivo.

* * *

— Sé humilde y sincero; dile a tu hijo que tú también te comportaste mal y cometiste errores en alguna ocasión, y explícale cómo lograste superarlos.

* * *

— Espera de tu hijo lo mejor, cree en él y transmítele tu convicción de que mejorará y corregirá sus errores.

* * *

— Invítale a reflexionar sobre sus buenas acciones del pasado y sus sentimientos al respecto.

V. Consideraciones previas y requisitos para una educación inteligente

La educación no crea al hombre, le ayuda a crearse a sí mismo.

M. Debesse

¿QUÉ ENTENDEMOS POR ACCIÓN INTELIGENTE?

En una de las últimas conferencias que impartí bajo el título de este libro, *La educación inteligente*, uno de los asistentes que tomó la palabra durante el coloquio y esperaba una respuesta afirmativa, me preguntó: «¿Las claves para una educación inteligente también sirven para otros temas no relacionados directamente con la educación, como por ejemplo, los concernientes al mundo empresarial?» Le respondí que la mayoría de las estrategias o claves que se recomiendan o sugieren para educar son, efectivamente, las mismas que deberían aplicarse en cualquier acción-intervención inteligente que persiga eficacia, buenos y duraderos resultados.

En toda intervención inteligente lo que se pretende es despertar la colaboración y la buena voluntad; proporcionar un camino fácil y atractivo, en la medida de lo posible, hacia la meta u objetivo; sugerir o inducir en la persona en cuestión —hijo, alumno, esposa, compañero de trabajo, jefe...— una conducta o respuesta adecuada y provechosa. En toda intervención inteligente prima el tacto, la flexibilidad, el conocimiento pleno de las circunstancias que rodean al caso o persona, la motivación y el alentar lo mejor del otro, su lado más noble del otro, su parcela más valiosa, pero desde el respeto a su libertad, sin imposiciones ni amenazas.

Ahora bien, la «pregunta del millón» en este terreno es la siguiente: *¿Cómo conseguir que una determinada persona que se encuentra en una situación crítica (A) o tiene una conducta improcedente, peligrosa, irresponsable o delictiva, no persista en esa actitud ni vaya a peor (B), sino que cambie su rumbo y elija otro camino más adecuado y conveniente (C)?*

Veamos posibles intervenciones, poco afortunadas y nada inteligentes, que no despiertan en el sujeto ningún deseo de cooperación, de cambio a mejor:

✖ Afear su proceder, criticar su mala conducta, demostrarle cuán malvado, voluble, irresponsable o descastado es con su actitud.

✖ Impedir por la fuerza o de cualquier modo violento, autoritario, insultante, con amenazas o castigos, que mantenga su mala conducta (A) y así evitar que la situación empeore (B).

✖ Recurrir al chantaje emocional, al sentimiento de culpa, haciendo que se vea a sí mismo como un desgraciado que causa males y desgracias a sus semejantes, que se sienta apenado por nuestras súplicas y llantinas.

✖ Informarle acerca de las graves consecuencias que seguirán a su descabellada forma de proceder, advirtiéndole que pagará un alto precio si persiste en tan deplorable actitud y hasta dónde puede perjudicarse a sí mismo si no pone remedio inmediato a su situación.

Puestos a elegir, la menos dañina de estas cuatro posibles intervenciones es la última, porque, aunque no resulta muy inteligente ni muy estimulante, sí puede mover a la acción en personas que ya hayan experimentado el precio que tuvieron que pagar por sus errores. Puede ser eficaz en una tercera parte de los casos (33 por ciento).

¿CUÁL SERÍA ENTONCES LA INTERVENCIÓN CLARAMENTE INTELIGENTE?

Sólo aquella que le proporcione al sujeto problemático un camino atractivo, deseable y posible hacia la alternativa C. Si es posible, también convendría que la intervención inteligente le hiciera ver las terribles consecuencias que él ya está pagando y las que pagaron otros antes de cambiar a mejor.

La intervención inteligente debe enseñar, pues, CÓMO SE HACE. Una buena forma es que personas muy queridas y cercanas le cuenten cómo lograron caminar con éxito desde la situación A hasta la C, a pesar de las dificultades.

Este *cómo se hace* de la intervención inteligente se aprende, igualmente, presenciando la escenificación de situaciones de conflicto y viendo cómo los «actores» terminan por encontrar soluciones y alternativas eficaces a los problemas.

Como ya hemos comentado, la intervención inteligente, imaginativa y práctica se puede aplicar en cualquier campo, situación y circunstancia: en el mundo empresarial y laboral, en la vida y dinámica familiar, en el ámbito de la educación y hasta en el de la justicia que, además de justa, puede y debe ser imaginativa y humana, y aplicarse con sentido común; en definitiva, inteligente, como vienen demostrando en los últimos años con sentencias justas y brillantes diversos jueces de Granada, Barcelona, Murcia, Toledo, Lérida o Ciudad Real. Seguramente, el más conocido por sus sentencias *didácticas* es el juez Emilio Calatayud, del Juzgado de Menores de Granada. Éstas son algunas de ellas, en las que se ponen de manifiesto estrategias y medidas llenas de sabiduría:

— A un adolescente al que detuvieron quemando papeleras, le hizo pagar su delito trabajando los fines de semana con los bomberos.

— A otro que robaba a indigentes y a ancianos, le hizo reflexionar sobre su delito prestando sus servicios en un centro de atención a indigentes.

— A un menor senegalés que vendía discos piratas, le mandó a aprender español en seis meses.

— A un joven que conducía borracho, le obligó a pasar varios fines de semana en un hospital cuidando enfermos parapléjicos.

Emilio Calatayud es persona sencilla, que conecta con el sentir de la gente. Todo empezó hace diez años, cuando siendo juez decano de Granada se animó a comunicar a la prensa la sentencia que había dictado: a un chico analfabeto al que habían cogido robando no le condenó a prisión ni a pagar ninguna multa, sino que le instó a que aprendiera a leer, a escribir y a saber lo más elemental de aritmética. Pasado un tiempo, él mismo le examinó. En la actualidad, aquel joven, ya alejado definitivamente del mundo del delito, trabaja en un taller de albañilería.

No sé si esta forma inteligente de aplicar la justicia con los menores merece algún reproche, pero lo cierto es que sus resultados hablan de un éxito rotundo. El último informe de la Fiscalía del Tribunal Superior de Justicia de Andalucía señala que la delincuencia ha crecido en toda la Comunidad excepto en Granada, donde ha descendido un 8 por ciento.

Dice Calatayud: «La gente de la calle cree que es más útil y didáctico que los chavales paguen su culpa reparando el daño que han causado a la comunidad, y ellos también lo creen así. Por mi parte, pienso que si consigo que un ladrón de coches de quince años robe sólo un vehículo al mes en vez de diez, ya he logrado algo.» Éste es un buen ejemplo de cómo pensar y actuar con verdadero sentido común e inteligencia.

¿QUÉ SUCEDE EN EL MUNDO EMPRESARIAL, EN EL TRABAJO?

También en este ámbito, el actuar con inteligencia, escuchando al otro, respetando su opinión y permitiéndole participar en la toma de decisiones, siempre reporta mejores resultados que las actitudes impositivas, las amenazas y los enfrentamientos entre trabajadores y empresarios.

Hace cosa de un par de años pasó por mi consulta el dueño de una pequeña empresa con dieciocho trabajadores con los que se llevaba fatal. Sus formas drásticas, su actitud intransigente y dictatorial, nada dialogante, le mantenía en un enfrentamiento constante con ellos. Era el típico hombre que vivía exhibiendo el mérito de haber salido de la nada y haberse hecho a sí mismo. Probablemente la misma dureza con que le había tratado la vida tenía que ver con su estilo de patrono durísimo e implacable, incapaz de corregir su forma de proceder equivocada y de reconquistar la confianza y el buen entendimiento con sus trabajadores.

Vino a mi consulta con su esposa porque fue ella, que también trabajaba en la empresa como secretaria, la que le obligó a buscar ayuda profesional, antes de verse obligado a cerrar la empresa. Después de escuchar atentamente el relato de su historia privada y profesional, fue decisiva la intervención de su esposa, por los detalles que me aportó. Yo les comenté que tenía la certeza de que podíamos dar un giro de 180° al tema que tanto les preocupaba, pero que para ello tenía que contar con su plena colaboración y buena voluntad, su humildad para aceptar mis consejos y su compromiso de hacer exactamente lo que fuéramos planificando de forma conjunta.

Es preciso saber detectar los errores concretos que se han venido cometiendo, desenmascararlos uno a uno y explicitarlos por escrito. En el caso anterior, ver los desastrosos efectos causados en los trabajadores con semejante trato y ponerse en su lugar para padecer en uno mismo tal dureza. En definitiva, el primer paso es siempre el *reconocimiento* por nuestra parte de que hay que cambiar de actitud.

El plan de acción inteligente que le permitió a este hombre salvar su empresa, volver a contar con sus trabajadores y recuperar su salud física y psíquica, así como su felicidad conyugal y familiar, fue el siguiente, tal y como se lo puse por escrito. Cinco eran los puntos a cumplir:

1. Organizar una comida con todos tus empleados y procurar cambiar el semblante. Mostrarte cercano y afectuoso, y demostrarles con palabras un cambio de actitud. Empezar por decirles que no eres insensible a sus problemas, que les tienes afecto y que quieres que el trabajo que realizan sea lo más llevadero y gratificante posible. En una palabra, demuéstrales afecto e interés por sus problemas. Todas las demás cosas las irás poniendo en práctica de forma gradual.

2. Reconocer ante ellos los errores que crees que has venido cometiendo. Es importante que te vean capaz de corregir tus modales bruscos y autoritarios; de mejorar y suavizar tu trato con ellos. Esto hará que empiecen a confiar en ti y a pensar que

hablas en serio. Desde el primer momento deben percibir que tu forma de dirigirte a ellos sigue siendo firme, respetuosa y dialogante, y que procuras contar con su opinión. Ten un tacto especial para no volver a herirles. Para ello, cuida lo que dices y cómo lo dices.

3. Confiar en los trabajadores, en su buena voluntad, dando por hecho que la decisión que tomen respecto de las nuevas relaciones contigo serán desde la responsabilidad, sin aprovecharse de tu nueva actitud más dialogante y cercana. No temas dejar la «pelota» de las propuestas y sugerencias en su terreno; no te defraudarán.

4. Recordarles las cosas positivas que han venido haciendo por la empresa. Que les quede claro que sabes valorar los esfuerzos y el hecho de que tengan siempre presente que la buena marcha del negocio redundará en beneficio de todos. Han de convencerse de que tu interés es el compromiso común en un mismo proyecto, es decir, «ser todos para todos».

5. Aplicar en el futuro el principio «gano, ganas», para que, una vez cubiertos todos los gastos de la empresa y obtenidas las ganancias proyectadas, los trabajadores puedan percibir del superávit una cierta cantidad al final del ejercicio, independientemente de su salario. En conclusión, que si al empresario las cosas le van muy bien, también le vayan muy bien al trabajador.

En la actualidad, la empresa ha doblado su producción, han aumentado considerablemente los beneficios y las relaciones con los trabajadores son excelentes.

Con esta historia lo que pretendo es dejar claro que el secreto que encierra toda intervención inteligente es tan sencillo de descubrir, aprender y aplicar a la vida cotidiana, que estoy convencido de que no pocos padres y educadores lo llevarán a la práctica con el mismo éxito en otras áreas o parcelas de su vida que no guardan una relación directa con el mundo de la educación. Esto es lo que suelen confirmarme muchas de las personas que han asistido a mis cursos y conferencias sobre educación inteligente y que ya han puesto en práctica las veintidós claves de la misma. Alguno me ha comentado que éstas constituyen una especie de «herramienta multiuso»; una llave inglesa que sirve para apretar o aflojar las tuercas de cualquier situación problemática.

LA «PUESTA A PUNTO» PARA TODO AQUEL QUE PRETENDE LLEVAR A CABO UNA EFICAZ ACCIÓN INTELIGENTE

Cualquier persona que pretenda llevar a cabo una acción inteligente deberá tomar en consideración los cuatro tiempos de que consta, en perfecta interacción y bien sincronizados: *conocimiento* (de sí mismo, del otro y de la situación o cuestión que se aborda), *autocontrol, motivación y decisión-acción de cambio.*

1. Conocimiento

Conócete a ti mismo.

Oráculo de Delfos

Cualquiera que pretenda realizar una intervención inteligente procurará sincerarse consigo mismo y ver su propia realidad personal sin engaños ni tapujos. Al volver al pasado y sentirse niño, hijo o hermano, con una infancia más o menos feliz o desgraciada, aflorarán sus miedos, frustraciones, defectos, virtudes y valores, sus limitaciones y cualidades, sus fallos. Todo nuestro pasado constituye un material valioso que nos servirá no pocas veces para sentirnos más vulnerables, cercanos, comprensivos y humanos con nuestros semejantes y, en especial, con la persona a quien pretendemos ayudar a cambiar a mejor.

El conocimiento de uno mismo facilita la aproximación al otro, nos permite ser empáticos, adentrarnos en los problemas y sentirnos más humanos respecto a sus fallos, defectos y limitaciones. Y conocer bien al otro, sin resentimientos ni apriorismos, nos ayudará a comprenderle, aceptarle y hasta apreciarle como persona.

Una vez que tengamos un conocimiento suficiente de la persona en cuestión y de sus circunstancias, debemos orientarnos al tema que nos ocupa y estudiarlo objetivamente, desde todos sus ángulos y perspectivas, buscando puntos de encuentro, caminos que lleven al entendimiento, al acercamiento de actitudes y tomas de decisión conjuntas, libremente y de buen grado.

Conocernos a nosotros mismos siempre debe contribuir a que conozcamos mejor al otro —hijo, educando, cónyuge, compañero de trabajo...— y a que el otro también se conozca a sí mismo y tenga interés por conocernos mejor y por profundizar más en el tema que nos afecta y nos ocupa.

El proceso dinámico del *conocimiento de uno mismo* nos lleva al *conocimiento del otro*, al *conocimiento del problema*, a la *búsqueda de puntos de encuentro* y al *acercamiento de posturas*. Y, finalmente, a delimitar y definir de forma pactada *lo que hay que cambiar, cómo, cuándo y con qué medios.*

2. Autocontrol

El que es dueño de sí mismo y es capaz de dominarse tiene sometido a su poder este vasto mundo y todo cuanto existe.

Paul Fleming

¿Ha tenido el lector alguna vez la oportunidad de presenciar un episodio de furia desatada, acompañado de gestos y palabras malsonantes, insultantes y con todas las emociones descontroladas? El espectáculo que presenta la persona dominada por la ira, la rabia, la frustración y los deseos de venganza es verdaderamente lamentable, patético. La más feroz y temible de las fieras no llega a igualar en ningún caso a un ser humano que ha perdido por completo el control de sí mismo. Un animal se rige por sus instintos, mientras que una persona se rige y gobierna por su capacidad de reflexión, su inteligencia y su sentido común; por su aptitud para pensar serenamente y tener bajo perfecto control la parte instintiva que carece de la sabiduría, medida y oportunidad para su conservación y protección como especie que caracteriza al instinto animal.

Una persona que no reflexiona, que actúa casi sin pensar, que no sabe medir las consecuencias de sus palabras y sus actos, que no tiene un mínimo control de sí mismo, no sólo será incapaz de educar a nadie, sino que llevará consigo el problema por donde vaya. Será una «persona-problema» que, sin duda, generará no pocos conflictos en su hogar, en el trabajo, en cualquier lugar donde se encuentre y sea cual fuere la profesión que ejerza.

Nadie puede pretender ser educador, enseñar a otros a regir sus propias vidas, si no se ha ejercitado con éxito en el gobierno de sí mismo, de sus emociones, reacciones y estados de ánimo. Solamente podremos instar al educando a que cambie a mejor si tenemos la autoridad moral suficiente y la convicción de que somos dueños de nosotros mismos. Si con frecuencia nos controlan las circunstancias, los demás o nuestro propio estado emocional, no estaremos capacitados para intervenir inteligentemente. Es desde la serenidad y la fuerza del autocontrol desde donde emanarán las energías psíquicas y morales suficientes para abordar con éxito cualquier asunto que comienza a írsenos de las manos.

El autocontrol se compone a partes iguales de:

- *Dominio de sí y de las circunstancias*. No hay que perder la calma necesaria y la frialdad para mantener una percepción objetiva y realista del estado de las cosas, procurando evitar el subjetivismo, los prejuicios y la visión distorsionada de las personas y su conducta.
- *Responsabilidad*. Capacidad de asumir las consecuencias de lo que se dice y se hace, sin echar balones fuera, sin cargar sobre los demás los males causados con nuestro proceder inadecuado, erróneo o insensato. La capacidad de tomar decisiones de manera coherente y sensata, de la mano del sentido común, y elegir bien entre las distintas opciones, es la característica que define la responsabilidad inteligente de quien ha superado con creces el principio del placer y hace lo que debe, aunque le cueste y no le sea fácil, porque entiende que en la vida, para beneficio de todos, ha de primar el principio del deber.
- *Confianza en uno mismo*. Tener la autoestima alta, sentirse capaz y valioso para reciclarse constantemente, mejorar cada día y cambiar a mejor, es fundamental para alcanzar el autocontrol.
- *Confianza en los demás*. Tratar de ver las cualidades de los

otros, cuánto tienen de positivo y creerles capaces de mejorar y superarse cada día.

- *Sinceridad, autenticidad.* O, lo que es lo mismo, obrar con honestidad, sin dobleces ni subterfugios, sin chantajes ni segundas intenciones, con buena voluntad y con bondad. La verdad de nuestras palabras y acciones no debe dejar lugar a dudas.
- *Flexibilidad, adaptabilidad y comprensión.* Todo autocontrol conlleva actos conscientes, inteligentes y de profunda reflexión. En consecuencia, se estará más cerca de actitudes flexibles, de formas y modales respetuosos y educados, que de imposiciones, intransigencias y autoritarismos despóticos.
- *Firmeza razonada, actitud definida y vigorosa.* Ser persistente y tenaz en lo que se debe ser así, sin perder la suavidad, la flexibilidad y la adaptabilidad. Me estoy refiriendo a la firmeza flexible y fuerte del mimbre, no a la rigidez tiesa y frágil de la caña.

El autocontrol sin más, *per se*, no dudo de que pueda ser un bien para el propio individuo que se controla y para quienes conviven con él; pero si ejercemos el dominio de nosotros mismos sabiendo que tiene como fin directo lograr algo bueno y positivo, nos sentiremos más motivados y estimulados.

3. Motivación

Si dudas de ti mismo estás vencido de antemano.

Henrik Ibsen

Somos seres dinámicos, no estáticos; tendemos a mejorar la especie, a mejorarnos a nosotros mismos, a hacer más soportable nuestra vida, a vencer las dificultades que nos salen al paso cada día, a vivir más años y mejor, a vencer las más terribles enfermedades. En definitiva, somos seres perfeccionables y con deseos de mejorar en todos los terrenos y áreas que nos atañen de manera directa o indirecta.

Mc Clelland y Atkinson consideran, no sin razón, que el motivo básico del comportamiento humano es *la necesidad del logro*. Para Mc Clelland tendemos a lograr cosas, a mejorar en un nivel de competitividad en relación a lo ya logrado o a lo que han logrado los demás. Este *motivo básico* surge en los primeros años del niño y depende en gran medida de la educación recibida en el hogar. Los padres que valoran los logros de sus hijos propician y facilitan este motivo.

Atkinson defiende que hay dos categorías de personas:

— Los que se mueven para obtener el éxito.
— Los que se mueven para evitar el fracaso (éstos se distinguen por la ansiedad que generan frente al posible fracaso).

Tanto en el logro del éxito como en la evitación del fracaso concurren los siguientes factores:

➔ *Tendencia al éxito*:

Me = Motivo de éxito (innato a todo sujeto).
Ee = Expectativa de éxito (esperanzas del sujeto ante una situación concreta).
Ie = Incentivo del éxito (consecuencias favorables que se derivan de la obtención del éxito).

→ *Tendencia al fracaso*:

Mf = Motivo de evitar el fracaso.
Ef = Expectativas que tiene el sujeto de evitar el fracaso.
If = Castigo (incentivo del fracaso): consecuencia desagradable que supone el hecho de no haber evitado el fracaso.

→ *Conclusión*:

Te = (Me × Ee × Ie) = Tendencia al éxito.
Tf = (Mf × Ef × If) = Tendencia al fracaso.

Atkinson consideró que en la tendencia al éxito (*motivación*) o en la tendencia al fracaso (*desmotivación*) intervenían otras variables relacionadas con las anteriores:

— Rendimientos de tarea.
— Persistencia en la tarea (tenacidad hasta conseguir el objetivo).
— Grado de dificultad de la tarea.

• Los sujetos que tienden a lograr el éxito (individuos motivados) suelen elegir tareas con un grado medio de dificultad, es decir, superables y a la vez gratificantes (*in medio virtus*).
• Los sujetos que tienden a evitar el fracaso (individuos desmotivados) eligen tareas con un grado extremo de dificultad o de poca dificultad, es decir, demasiado fáciles o demasiado difíciles. ¿Por qué? Porque así evitan la ansiedad que les produciría una tarea que exige una dificultad media, que necesita bastante esfuerzo y mucha constancia. También evitan pasar a la

acción, tomar decisiones, correr ciertos riesgos... Al elegir tareas muy fáciles, no corren ningún riesgo ni tienen problemas, ya que éstas no entrañan dificultad alguna; aunque no se sienten motivados por algo tan sencillo y sin dificultad; al elegir tareas muy difíciles, tienen la disculpa de que su grado de dificultad es lo que explica su fracaso o su decisión de no realizarlas.

Estos conceptos tan sencillos sobre la motivación deben estar siempre presentes en la mente de todo educador inteligente, que jamás ha de olvidar que en todo niño o adolescente, como en todo ser humano, la necesidad de lograr algo y de mejorar constituye un motivo básico.

Ahora bien, ¿cómo puede reforzarse la motivación del logro que está innata en nosotros?

- Viendo la forma positiva y beneficiosa en que han afectado a otros los cambios realizados y los logros obtenidos con tales cambios.
- Sabiendo cómo lo hicieron, las estrategias que emplearon, las dificultades que encontraron y cómo las superaron, las actitudes concretas que fueron determinantes para lograr el cambio a mejor, para conseguir el objetivo propuesto. Es preferible oír este relato a los propios protagonistas, en primera persona.
- Conociendo la descripción de sensaciones, sentimientos de plenitud y alegría que reconfortan a la persona motivada tras conseguir sus metas a pesar de las dificultades.

4. Decisión - acción inteligente

No nos falta valor para emprender ciertas cosas porque son difíciles, sino que, son difíciles porque nos falta valor para emprenderlas.

Lucio Anneo Séneca

Los manuales de psicología distinguen cuatro fases en el acto voluntario:

- *Concepción del fin o representación del objetivo que se pretende lograr*: nada puede desearse sin antes haberlo conocido.
- *Deliberación acerca de las razones a favor o en contra del acto proyectado*: en la deliberación intervienen la voluntad y la reflexión, impidiendo así que se tome una decisión precipitada.
- *Decisión*: después de deliberar hay que tomar decisiones y, a tal efecto, la voluntad recurre a la inteligencia y a otras facultades como la memoria y la imaginación, que informan sobre la conveniencia de pasar a la acción, de ejecutar lo proyectado.
- *Acción inteligente*: no hay voluntad sin acción, sin realización del proyecto. Podemos desear algo, deliberar sobre su conveniencia y tomar la decisión de llevarlo a efecto; pero si no pasamos a la acción, todo queda en nada.

¿Cómo pasar de la decisión (*plano del pensamiento*) a la acción inteligente o ejecución (*plano de la acción*)? Personalmente, aconsejo seguir las cuatro máximas que formuló W. James en su *Tratado de Psicología*, para adquirir la costumbre de saber querer:

1.ª «Echarse al agua de golpe con iniciativa enérgica e irrevocable» es una forma eficaz de adquirir un nuevo hábito o perder uno antiguo. Nadie piense que obrar así indica irreflexión o precipitación, sino ejecución rápida de una decisión bien pensada que acaba de tomarse. El secreto del éxito en esta primera medida está en adoptar compromisos que sean incompatibles con los hábitos negativos que pretendemos suprimir y, al mismo tiempo, comprometerse públicamente con las nuevas acciones que se están reafirmando, detallando cómo, cuándo y en qué forma las llevaremos a cabo.

2.ª «No hacer nunca excepción en tanto que el nuevo hábito no esté firmemente enraizado en la nueva vida.» El secreto del éxito en esta segunda medida está en acumular tantas pequeñas victorias o éxitos iniciales y que tantas decisiones se conviertan de inmediato en ejecuciones, en realizaciones, que pronto resulte fácil sentirse capaz de tomar decisiones con prontitud y llevarlas a feliz término.

3.ª «Aprovechar cualquier ocasión para aplicar, para hacer realidad las decisiones o resoluciones tomadas.» Con la práctica de decidir y obrar formaremos hábitos facilitadotes de la acción, en definitiva fortificaremos la voluntad.

4.ª La última medida para aprender a querer, para tener voluntad, es «mantener siempre viva en nosotros la facultad del esfuerzo con pequeños sacrificios que no nos reportan ningún beneficio inmediato, pero que sirven para mantener entrenado y a punto el músculo de nuestra voluntad». Hacer muchas veces lo que tememos no es mal ejercicio de entrenamiento de la voluntad.

Además de estas máximas de W. James para adquirir el hábito de tener voluntad, desde hace bastantes años suelo recomendar en mis conferencias y cursos para aprender a ser eficaz las siguientes pautas:

— Idea bien clara de qué es lo que debo cambiar o corregir.
— Diseño detallado de las estrategias que debo aplicar.
— Compromiso personal, de palabra y por escrito, y firmeza en la actitud positiva, sin la menor posibilidad de volver atrás, de «arrugarse» tras una decisión bien pensada.
— Optimismo antes, durante y después de la ejecución, de la acción inteligente, saboreando de antemano los buenos resultados que hay en perspectiva.
— Tenacidad, persistencia en la acción sin bajar la guardia hasta el logro pleno de los objetivos marcados.
— Autoevaluación continua, teniendo siempre información actualizada sobre cómo me voy acercando a la meta, cómo estoy cumpliendo y llevando a efecto, punto por punto, la estrategia elegida.

CÓMO EVITAR ENFRENTAMIENTOS Y SITUACIONES CRÍTICAS Y CREAR UN BUEN CLIMA FAMILIAR CUANDO AMENAZA «TORMENTA»

— Procura contemplar la situación desde la perspectiva de tu hijo, poniéndote en su lugar y tratándole con respeto.

* * *

— Dale ejemplos de cómo fue tu propia experiencia adolescente en conflictos familiares.

* * *

— Imponle un tiempo de reflexión cuando te conteste mal o pierda el control. Dile: «Quiero hablar contigo, no con tus nervios.»

* * *

— Si eres tú quien pierde los estribos, tómate el tiempo necesario de reflexión y admite que no has obrado bien. Cálmate y no sigas a la deriva.

* * *

— Recuerda que, en muchos casos, la mala conducta es una demanda de cariño o de atención. No lo tomes como algo personal.

* * *

— Afronta los conflictos, no los evites, y deja que tu hijo tenga algo de razón. No pretendas estar siempre en posesión de la verdad.

* * *

— Ten bien presente que ni tú ni tu hijo sois perfectos.

* * *

— Recuérdale que ambos se encuentran en el mismo equipo y que lo más inteligente es apoyarse y llegar a acuerdos, desde el mutuo respeto y cediendo algo por ambas partes.

VI. Claves para una educación inteligente (Cómo echarle inteligencia práctica al tema que nos ocupa)

Dadme un punto de apoyo y moveré la tierra.

Atribuido a Arquímedes

DESDE LA ÓPTICA DEL EDUCADOR

¿Cómo se consigue mover, motivar, impulsar al educando a cambiar a mejor, a colaborar, a responsabilizarse? En otras palabras, ¿qué claves pueden servir al educador inteligente antes, durante y después del proceso educativo?

La idea central de este libro es que toda intervención pedagógica debe ir orientada a despertar, activar y potenciar en el educando una actitud de cooperación, adoptada sin imposiciones, coacción o amenazas; por decisión propia y con plena libertad. Los veintidós puntos que se explican y desarrollan a continuación, aplicados de forma adecuada, sirven para ello. A lo largo de una década, estas *claves para una educación inteligente* han dado estupendos resultados con niños y adolescentes muy problemáticos. Confío en que la forma sencilla y práctica de presentarlos contribuya a que padres y educadores los incorporen sin problemas a su tarea educativa cotidiana, que hoy presenta especial dificultad.

1. Ama lo que haces y para quien lo haces

Que quien no ama los defectos no puede decir que ama.

Calderón de la Barca

Procura impregnar de amor, de afecto sincero y de buenos deseos y expectativas la acción educativa. El amor todo lo transforma, lo ennoblece y enriquece. El educador inteligente no duda en manifestar que le encanta lo que hace: «Me siento feliz como profesor de esta asignatura» o «me encanta ser padre»... El educando debe saber, porque así se lo hemos recalcado en varias ocasiones, que le queremos, le ayudaremos a superarse y estaremos a su lado; que nuestro amor es incondicional. No le queremos por sacar buenas notas o por comportarse bien; es verdad que esto nos agrada sobremanera, pero le queremos por sí mismo, como persona, como hijo o alumno, como ser distinto, único e irrepetible.

En cierta ocasión, volvía a casa después de dar un paseo con mi perro y una vecina que me encontré, conocedora de mi profesión, me comentó que estaba maravillada al ver el extraordinario cambio que había experimentado la iguana que tenía su hija. Según ella, a la chica le encantaban los animales, los alimentaba bien, pero los tenía un tanto olvidados, sin hablarles ni manifestarles afecto. Poco antes, mi vecina había contratado para realizar las tareas del hogar a una mujer muy cariñosa que, al ver al animal tan sucio y abandonado, lo limpió, empezó a hablarle y a acariciarle cada día, a ocuparse de él... y hoy parece que hubiera en la casa otra iguana distinta.

El amor hace milagros, repito. Y si en plantas y en animales tan poco sugerentes como una iguana consigue cambios tan extraordinarios, es lógico que, tratándose de seres humanos, sea el primer requisito para una educación inteligente, pero también para cualquier tipo de intervención que hagamos en otros ámbitos diferentes a éste.

A nadie le gusta pasar desapercibido, sentirse ignorado y mucho menos despreciado. Saber que somos importantes por algo y para alguien, que se nos tiene en consideración, nos alegra la vida, eleva nuestra autoestima y produce en nuestro interior un cambio extraordinario y muy beneficioso.

Veamos el caso de María, una persona bondadosa en extremo, sencilla y afable. Nos conocemos desde niños y para mí es realmente como una hermana, como de la familia, pero yo no sabía hasta qué punto podía apreciar que se la tuviera en consideración, que se reconociera públicamente nuestra profunda y antigua amistad. Una vez fuimos a visitarla, como de costumbre, y de pronto se dirigió a mi esposa: «No sabes cómo te llevo en mi corazón, cómo te siento dentro de mí y cómo te agradezco que, cuando vinisteis al pueblo con esos amigos tan importantes, te dirigieras a mí y, distinguiéndome de entre todos, me presentaras así: "Ésta es María, una de mis mejores amigas, como una hermana, a la que tengo un gran aprecio." Jamás olvidaré ese momento en que demostraste que yo era especial.» Mi esposa se quedó encantada, aunque un tanto perpleja, porque ella obró de forma espontánea sin saber que el simple hecho de reconocer su bondad y nuestra profunda y antigua amistad sería algo tan importante, motivador y reconfortante para María.

¡Qué inteligente es demostrar consideración y afecto, dar a entender a nuestros semejantes que son muy importantes para nosotros y que tenemos en gran estima su amistad!

En mis años de profesor, cuando tenía ante mí a un alumno desmotivado, inconstante, tímido o muy problemático, utilicé en muchas ocasiones la estrategia de mostrarme interesado por algo valioso, meritorio o digno de mención de ese alumno difícil y en todas las ocasiones hubo por su parte una respuesta de mayor colaboración, de acercamiento hacia mí y de buena disposición para escucharme y prometerme incluso mejorar su conducta, sin yo haberle hecho la menor crítica, ni haberle afeado su comportamiento.

Tranquiliza muchísimo al niño o al adolescente que sus padres y profesores les tengan en alta estima y les muestren afecto de forma incondicional, que les amen con sus defectos, carencias y debilidades.

2. Pon exquisito cuidado en lo que dices y en cómo lo dices

Sea cual fuere lo que pienses, yo creo que lo mejor sería usar de buenas palabras.

William Shakespeare

Normalmente, cada palabra, frase, gesto, actitud u observación del padre o educador suma o resta, motiva o desmotiva, alienta o decepciona, genera confianza y deseos de cooperar o negativismo. Las órdenes, los sermones y las amenazas son tan ineficaces como las súplicas; los chantajes o los ruegos no funcionan, como tampoco las expresiones provocativas o penalizantes *per se*, del tipo: «¡Tú te lo has buscado, listo!», «¡Te has vuelto insoportable e incorregible!», «¡Ya nadie te aguanta!», «¡Mírame cuando te hablo!»... Jamás deben emplearse.

Veamos una escena hogareña bastante frecuente. La madre está fuera de sí porque su hijo Félix, de 14 años, ha dejado la muda tirada en el suelo del servicio. Una vez más, se ha olvidado de echarla a la lavadora.

> *Madre*: —¿Cuántas veces tengo que decirte que, cuando te quites la ropa, la lleves directamente a la lavadora? Siempre tengo que ser yo, tu madre, quien la recoge del suelo del cuarto de baño, y eso además de limpiar la bañera, pasar la fregona y dejar todo limpio. ¡Eres un verdadero desastre en todo! Ahora es la ropa en el suelo, ayer tus cuadernos y libros que los dejaste tirados... ¿Qué puedo hacer contigo? Me tienes de los nervios y sin saber qué camino tomar.
>
> *Félix*: —Ya lo sé, mamá, soy un desastre y ¡tú me lo recuerdas a cada momento! No me he dado cuenta. Además, parece que disfrutas metiéndote conmigo. Mira qué poco regañas a mi hermana, que las mata callando. Siempre hay preferencias, y como tú a mí no me quieres, por eso me das la vara.

Reflexión sobre la actitud de la madre y la respuesta del hijo

La madre de Félix lleva varios años cometiendo los mismos errores educativos: critica, amenaza, descalifica, manifiesta su impotencia y pone a su hijo la etiqueta de persona irresponsable y desastrosa. Nunca sale del círculo vicioso de repetirle a Félix las cosas que hace mal, pero no ha conseguido que su hijo cambie.

En cuanto a la reacción del joven, en el fondo adopta la misma actitud que su madre: como se siente atacado, ataca y descalifica; en lugar de reflexionar sobre lo que hace mal, se centra en que su madre la tiene tomada con él y que, incluso, disfruta con ello. De esta manera, no sólo no cambia a mejor, sino que se reafirma cada vez más en su conducta desordenada. Está convencido de que él es una nulidad, un desastre, y como su caso no tiene remedio, ¿para qué esforzarse?

Conclusión pedagógica

La actitud de la madre no ha sido inteligente porque no ha logrado cambiar la conducta de su hijo y que éste colaborara de buen grado. Sus ataques y críticas le han llevado a ponerse a la defensiva, a responder de manera hostil. La crítica casi nunca es constructiva; no da resultado porque censura o juzga negativamente, es decir, condena. Los comentarios peyorativos y las descalificaciones pueden llegar a convertirse en «profecías autocumplidas», es decir, que uno termine por convertir en realidad lo que se dice negativamente de alguien.

Cuando la madre afirma que Félix es un caso perdido y se confiesa ella misma incapaz de ayudarle a corregirse, está minando la autoestima de su hijo, aunque no sea consciente de ello.

¿Cuál sería la intervención inteligente por parte de la madre?

1. *Expresar algo bueno de la conducta de su hijo*, sobre todo si está relacionado con el conflicto en cuestión. Por ejemplo, que hay cosas que sí están ordenadas, como su armario o su cajonera. La afirmación de Arquímedes, «Dadme un punto de apoyo y moveré la tierra», funciona bien en el terreno educativo, en el que siempre debemos buscar posibles puntos de apoyo para intervenir de manera inteligente. Antes de llamarle la atención a Félix por algo que ha hecho mal, lo mejor es recordarle que es capaz de hacer las cosas bien.

2. *Decir lo que está mal con palabras directas y frases cortas.* Los sermones no sólo aburren, sino que además diluyen el mensaje que se quiere transmitir. Para mover más a la reflexión

del hijo y aumentar tanto su capacidad de escucha como sus deseos de colaborar y remediar el mal causado, al mismo tiempo que el educador dice con rotundidad lo que está mal, ha de admitir que conoce el tema porque lucha o ha tenido que luchar también para corregirse en el mismo defecto que pretende corregir. Por ejemplo: «Reconozco que me he sentido fatal al ver tu ropa interior tirada por el suelo, pero también me he acordado de lo responsable que eres cuando te lo propones. Como aquel día que ordenaste tú solo toda la habitación completa, ¿te acuerdas? La verdad es que yo también tuve este problema, hijo, y por eso, porque te quiero, me gustaría ayudarte. ¿Qué podemos hacer?»

3. *Dejar la pelota en su terreno*. Se trata de que el educando proponga soluciones, tome decisiones y piense cómo resolver el problema. Si no le descalificamos, si le recordamos que es capaz de lograrlo e incluso le admitimos que nosotros también pasamos por su misma situación, le estaremos poniendo las cosas más fáciles.

4. *Ayudarse mutuamente*. Al decirle la madre que le gustaría ayudarle y que ella también necesita ayuda, consigue que el hijo decida cambiar su propia conducta y ser solidario con ella, quien ha sabido decirle claramente y con firmeza lo que está mal, pero sin descalificarle y hasta acusándose a sí misma de debilidades.

Para recordar

✏ Hay que tener siempre a mano algo positivo y meritorio del educando para destacar; nos servirá como punto de apoyo para moverle a interesarse por el mensaje que le transmitimos y a decidirse a actuar, colaborar y mejorar su conducta.

✎ Importa mucho el talante, la actitud de respeto y de afecto con que nos dirigimos al hijo, para que nuestras palabras no hieran, ni ofendan ni provoquen rechazo.

✎ Es bueno mostrar la propia fragilidad, ya que todos tenemos algún defecto concreto que nos cuesta superar. Mejor si se trata de la misma debilidad que padece el educando, ya que eso le dará confianza en sí mismo.

✎ Resulta fundamental ofrecerle nuestra colaboración y experiencia al tiempo que mostramos una gran firmeza en la necesidad de que haga algo por su parte; que sea una decisión personal y se responsabilice de sus actos.

✎ Hay que confiar plenamente en su capacidad y buena voluntad, y dar por hecho que cambiará.[1]

3. Haz uso de la empatía

Si quieres conocerte, observa la conducta de los demás. Si quieres comprender a los demás, mira en tu propio corazón.

Friedrich Schiller

Para entender mejor la importancia que tiene el mundo de los sentimientos, nuestras penas y alegrías, nuestras frustraciones y decepciones, y lo mal que nos sentimos cuando alguien muy cercano no sabe ponerse en nuestro lugar y sentir lo que sentimos (empatía), ahí va el siguiente relato de la vida real.

[1] Para obtener una explicación más detallada de cómo se lleva a cabo una intervención inteligente, sugiero al lector los apartados 1, 2 y 3 del capítulo VII titulado «Diez casos "ejemplares"».

Carmen está bastante triste, casi deprimida porque su cuñada, con la que siempre se ha llevado bien, desde hace varias semanas y a raíz de haber conocido a unos nuevos vecinos, ha dejado de llamarla por teléfono. Ya no queda con ella para ir de compras y además se muestra esquiva y extraña.

Carmen se siente ignorada y habla con Pedro, su esposo, y le cuenta cómo le está afectando que su hermana le esté dando de lado. ¿Cuál es la reacción de su esposo?

—Tú eres boba por preocuparte de lo que haga mi hermana. ¡Vaya tontería! Seguro que ella está un poco entusiasmada con la novedad de esos nuevos vecinos. ¿No tienes otra cosa de qué preocuparte?

—¡Qué poco te importo! ¡Te da igual cómo me sienta! Eres incapaz de comprender nada. La tonta soy yo por contarte las cosas sabiendo que tú jamás te pones en mi lugar.

¿Verdad que no le es extraño este relato? Pues bien, a nuestros hijos les sucede lo mismo que a nosotros y, cuando se sienten inseguros, decepcionados, aburridos, enfadados, celosos o enamorados, necesitan que sus sentimientos los sintamos *con* ellos. ¿Pero qué es lo que sucede casi siempre? Que actuamos como el esposo de Carmen, diciéndoles que son bobos por preocuparse, que no entendemos por qué le dan tanta importancia a las cosas y seguramente esto es verdad, pero lo que necesitan es nuestra empatía sincera y acogedora: «Sé perfectamente cómo te sientes, hijo mío. Tu padre y yo cuando éramos novios tuvimos una temporada de crisis, lo íbamos a dejar y yo pensé que la vida tenía poca importancia para mí. En estos momentos que tú y tu novio lo habéis dejado por un tiempo, algo podré ayudarte, porque yo también pasé por lo que tú estás pasando.»

Nuestros hijos y educandos tendrán, inevitablemente, heridas emocionales y, aunque nuestro primer impulso sea tratar de minimizar sus problemas y consolarles quitándoles importancia, debemos entender que ellos van a interpretar nuestra actitud como de falta de interés y que no nos afecta ni comprendemos lo que sufren. De ahí que la primera reacción inteligente, cuando detectemos que están profundamente afectados por algo, debe ser de *solidaridad* y *empatía* con lo que están padeciendo: «Sé cuál es tu estado de ánimo, cómo te sientes y lo que estás pasando, y estoy a tu lado para todo.» Al expresarnos así, estamos creando el mejor clima educativo, que despertará la mejor disposición a reaccionar por parte del educando, al ver que nos importan sus sentimientos, sus penas y sus alegrías, sus miedos y sus actitudes de valentía. Será entonces cuando saque fuerzas de flaqueza y sea él mismo quien se anime y reafirme diciéndonos que su problema no es tan grave y que está seguro de poder superar la crisis.

No me resisto a relatar otro caso de la vida real que viví en mi consulta.

> Luisa es una estudiante muy brillante, acostumbrada a una media de sobresaliente al final del curso. Sus padres la trajeron a consulta porque estaba deprimida, sin ganas de nada, y además las relaciones con ellos eran bastante tensas a raíz de los resultados obtenidos en el segundo año de Derecho: había obtenido un aprobado raspado en tres asignaturas que había preparado a fondo. Cuando habló con los profesores, ellos le insistieron en «el nivel» que exigía dicha universidad y en que no tenían por costumbre dar sobresalientes; que esa nota la guardaban para ellos mismos o para alumnos verdaderamente excepcionales y ella no lo era.
>
> Luisa entonces habló con sus padres esperando que se pusieran en su lugar, que «leyeran» sus sentimientos de profunda decepción, pero lo único que encontró fue una actitud de reproche por su preocupación: «Te quejas de sólo haber aprobado; pues piensa en los que habrán suspendido, buena envidia les darán tus aprobados.

Te preocupas de todo, hija, olvídate de ese profesor y ya tendrás mejores notas en otras asignaturas.» Ante esta reacción, se sintió sola e incomprendida, y comenzó a deprimirse. Durante un periodo, hablaba poco, apenas salía de casa y adoptaba a menudo conductas infantiles.

Ya en mi consulta, escuché sus quejas y le conté una historia mía personal, haciendo hincapié en que comprendía perfectamente lo mal que se sentía, no sólo por haberlo experimentado, sino porque otras personas me habían contado historias semejantes y sabía lo mal que se pasaba. Le comenté cómo empieza uno a salir de estos estados anímicos y le transmití mi confianza en que ella los superaría, al igual que habíamos hecho los demás.

No fue necesario que pasara más veces por mi consulta, aunque volvió para decirme que ella tampoco iba a consentir que unas bajas calificaciones condicionaran su vida. ¿Qué le hizo cambiar de actitud? Sentirse comprendida, comprobar que no era la única en pasar por algo semejante. Esa compañía comprensiva, de parte de alguien que había vivido un trance similar, fue la que obró el milagro del cambio.

Para recordar

✏ Cuando el educando esté triste, enfadado, preocupado o decepcionado, lo peor que podemos hacer es exigirle que minimice, ignore o cambie esos sentimientos, porque entonces se sentirá incomprendido y decepcionado, y pensará que no nos importan sus problemas. Además, al sentirse incomprendido, proyectará su decepción y frustración sobre nosotros.

✏ Hay que pasar de inmediato al «abrazo solidario» de la empatía y decirle: «Bien que te comprendo y me hago cargo de lo que sientes.» Esta actitud le llevará a sentirse fuerte, animado y decidido a no dejarse mediatizar y condicionar por algo que ya pertenece al pasado.

✏ Sentir los problemas de nuestros hijos, solidarizarnos con sus sentimientos, es estupendo y ayuda a superar bastantes problemas, pero no constituye una panacea y surgirán entonces problemas que no se solucionan de inmediato. Lo importante es que los hijos se sientan comprendidos y nos sientan cercanos.

✏ La empatía tiene perfecta aplicación al mundo de los sentimientos, pero no podemos ser empáticos con conductas inadecuadas o reprobables. En tales casos hay que decir ¡NO! De forma rotunda, con firmeza. Por ejemplo, si nuestros hijos juegan en el salón de casa con un balón, hay que explicarles que el salón no es un campo de fútbol y requisarles el balón durante cierto tiempo. Cada día, cuando vengan a pedirlo y pregunten: «¿Por qué no nos devolvéis el balón?», debéis enseñarles a responder: «Porque se nos ocurrió la barbaridad de utilizar el salón de casa como campo de fútbol y estamos aprendiendo que en esta vida hay límites, que hay cosas que no se pueden hacer, aunque nos gusten porque están mal.»

4. Muestra tu lado más vulnerable, humano y frágil, con sus limitaciones y defectos

Antes de decir mal de los demás, hace falta mirarse bien a sí mismo.

Molière

En todos los tratados de educación se insiste en la importancia del ejemplo por parte del educador... *Exempla trahunt*, «los ejemplos arrastran», decimos sin cesar los expertos en educación refiriéndonos, evidentemente, al *buen ejemplo*, a la necesidad que tiene el ser inmaduro de referentes válidos, de ejemplos vivos que pueda imitar. Sus padres, familiares y seres más próximos, como profesores y tutores, influyen con su conducta en el futuro del niño o adolescente al que quieren educar.

Es tan evidente que todos educamos con nuestra conducta, con nuestras obras, que no puedo sino destacar la importancia que tiene cultivar en nosotros mismos aquellas virtudes, cualidades y actitudes que pretendemos activar y potenciar en el educando.

El educador con un carácter equilibrado, sereno, con sentido común, comprensivo y dialogante, lo tendrá bastante más fácil para formar a sus hijos o alumnos en actitudes de autocontrol, equilibrio y diálogo que otro educador con una personalidad inmadura, reactiva, escaso autocontrol y poco dialogante. Todo esto ha quedado bien claro en las ya mencionadas consideraciones previas para una educación inteligente, en esa «puesta a punto» para la acción inteligente.

Cuando en alguno de mis cursos o conferencias me he referido al buen ejemplo como algo primordial de la tarea de educar y he dibujado el retrato robot del educador —padre o profesor— eficaz, inteligente y maduro psíquica y emocionalmente, siempre ha habido alguna persona que me ha replicado con cierta contundencia y extrañeza: «Pero los educadores somos humanos, cometemos errores, no somos ni sabios ni santos. ¿Qué podemos hacer quienes no hemos demostrado todas esas cualidades que usted apunta?» Ése es el momento en que yo aprovecho para recalcar con toda mi fuerza persuasiva que lo tenemos muy fácil, porque lo único que debemos hacer es no disimular ni ocultar nuestros defectos, errores o debilidades. Ser auténticos y permitir que perciban esa faceta nuestra, más humana, frágil y vulnerable, paradójicamente despierta en nuestros hijos y alumnos al ser humano, también vulnerable, que llevan dentro y nos sienten muy cerca de sí, más imitables y cercanos.

Hace ya casi cuarenta años, trabajando como jovencísimo profesor de Letras en un colegio privado de Madrid, en uno de los cambios de clase encontré a los alumnos hablando y jugando, porque el profesor anterior a mí se había marchado hacía unos minutos. Caminaba hacia mi mesa cuando un alumno, que no se había dado cuenta de que yo estaba allí, escupió a otro y estuvo a punto de darme a mí. Mi reacción fue iracunda, insultante y vergonzosa. Yo, con 23 años, apenas tenía experiencia como profesor y estuve durante cinco o diez minutos descargando mi rabia y mi ira contra este alumno al que llamé de todo. Me fui a casa preocupado y no hice otra cosa que pensar en mi insensato proceder. Ni siquiera le había dejado hablar y no se me quitaba de la mente su rostro enrojecido y humillado.

Al día siguiente llegué a clase con deseos de corregir mi actuación incontrolada y pedir disculpas tanto al alumno como a la clase. En aquellos tiempos, ningún profesor hubiera considerado conveniente, pedagógico ni razonable que un educador pidiera públicamente perdón por una actitud poco educativa; pero mi sentido común me decía que yo les debía una explicación a aquellos adolescentes y así lo hice: «Todos sabéis que ayer perdí los nervios y me dediqué durante un buen rato a descalificar y herir con mis palabras a vuestro compañero Andrés. Es verdad que él obró mal, pero eso no justifica el trato insultante y desconsiderado que yo le di. Me avergüenzo de la forma en que me comporté y os pido perdón. Y, por favor, que estas palabras os recuerden siempre que jamás debéis tratar a otra persona como yo traté a vuestro compañero.» Después me acerqué a Andrés, le pedí disculpas ofreciéndole mi mano y él, tembloroso y emocionado, me contestó: «Pero usted es el profesor y tenía que regañarme.» Le expliqué que mi obligación era criticar su mala acción, pero no caer en el error de insultarle y descalificarle como persona. Aproveché la oportunidad para decirles que las personas, cuando estamos bajo los efectos de la frustración, la rabia o la ira, llega un momento en que perdemos el control sobre nosotros mismos y decimos cosas graves con las que herimos a los demás y a continuación, cuando nos serenamos y reflexionamos, nos sentimos mal con nosotros mismos.

Debo decir que, tras este episodio, aquellos estudiantes cambiaron de actitud. Se volvieron más respetuosos, educados y estudiosos. El trato conmigo era de gran respeto y consideración. Creo que en esta historia, clave en mi vida como educador, al verme como alguien vulnerable y arrepentido sintieron verdadera admiración por mí. Con el paso de los años he tenido la oportunidad de hablar con algunos de aquellos estudiantes, quienes me han recordado aquel día tan especial en que su profesor les pidió perdón y les demostró que se pueden perder los nervios y decir cosas inconvenientes, pero que existe un remedio: no ocultar esa fragilidad, reconocer con humildad que se ha cometido un error y pedir disculpas por el mal causado.

No sólo resulta muy aprovechable hablar de nuestras limitaciones y carencias en el campo educativo, tal y como pude comprobar durante casi dos décadas como profesor y educador, sino en las terapias que diariamente llevo a cabo como psicólogo escolar y clínico. Siempre es un buen acicate, para, por ejemplo, ayudar a un niño o adolescente tímido, hablarle de cómo me sentía yo a su edad cuando me daba vergüenza dirigirme a ciertas personas y lo pasaba fatal a causa de mi timidez. Cuando les pregunto: «¿Te interesa saber cómo llegué a vencer mi timidez o cómo conseguí tener mayor fuerza de voluntad o cómo logré dejar de lamentarme y sacar fuerza y rabia interior hasta que encontré mi primer trabajo?», la respuesta siempre es afirmativa, porque les motiva saber que yo tuve el mismo problema y que lo superé. La reflexión que se hace un alumno con dificultades cuando su propio profesor le dice que suspendió esta o aquella asignatura en sus años de estudiante es la siguiente: «Si mi profesor pasó por lo mismo que yo, y además, según dice, lo tuvo tan difícil o más que yo, ¿por qué no voy a poder imitarle y salir adelante como hizo él? Me interesa saber cómo lo logró y me animaré a poner los mismos remedios que él puso.»

¿Qué es lo peor que puede hacer un padre o educador para tratar de motivar al educando e impulsarle a cambiar? Pues proponerse a sí mismo como un ser extraordinario, superinteligente y maravilloso, pluscuamperfecto y sabelotodo, siempre en posesión de la verdad. ¿Y por qué? Porque ni siquiera pensarán en hacer el intento de imitar a alguien inimitable, ya que tal dechado de voluntad, cualidades y méritos está demasiado lejano, resulta inalcanzable. Cuando el educando se siente inconstante, desanimado, con poca fuerza de voluntad, sin autodisciplina y no demasiado capaz de superarse, nada le parece más adecuado y motivador que escuchar de labios de sus progenitores estas palabras: «Hijo mío, yo era muy parecido a ti. ¿Acaso piensas que todas esas fuerzas y entusiasmo que tengo hacia mi trabajo ahora los he tenido siempre? Pues no, lo fui adquiriendo poco a poco, a medida que fui salvando los obstáculos. Puesto que yo he pasado por lo mismo, sé cómo te sientes y me será más fácil ayudarte.»

Ya mencionamos antes que en la «puesta a punto para una acción inteligente» el primer punto sobre el que debíamos reflexionar era el conocimiento de uno mismo. Esta vuelta al pasado puede ser de gran utilidad al educador, ya que recordándose como un niño tímido, inseguro o fracasado escolar, incapaz de hacer amigos o preocupado por todo, podrá compartir los sentimientos de su hijo o alumno y le brindará las mismas estrategias que él puso en práctica para llegar a ser lo hoy es.

Alguien puede preguntarse: ¿Qué hacemos con nuestras cualidades, virtudes o valores para que las imiten nuestros hijos? Ellos las irán viendo y constatando cada día sin necesidad de que les digamos cuán simpáticos, dialogantes y razonables somos. Les causará más impacto que les contemos cómo partimos de situaciones conflictivas y cómo las hemos ido superando con esfuerzo. Si sólo les hablamos de nuestras virtudes y cualidades, admirarán nuestra autodisciplina y tesón, pero no entenderán que hay que empezar por hacer lo que conviene aunque cueste, como hicimos nosotros. Lo que ahora ven en nosotros son logros, metas y objetivos conseguidos, pero para motivarles a conseguir sus propios objetivos tienen que comprobar que partimos de cero, como ellos, que éramos inconstantes e inseguros, y que al final todo se supera.

5. Espera lo mejor (la motivación del éxito)

Una de las mejores maneras de corregir ciertos defectos es atribuir ostensiblemente a quienes los tienen las virtudes contrarias.

Amado Nervo

En la educación inteligente, esta clave que explicamos a continuación resulta fundamental, como puede comprobarse en la siguiente historia:

Pedro y María llevan veinte años casados y son bastante felices, no tienen grandes problemas pero María echa en falta que su esposo sea un poco más detallista y un poco más generoso en el tema del dinero. Vienen a consulta y reconocen que viendo a otros matrimonios con problemas graves, el que les afecta a ellos les parece poco importante, pero la realidad es que ya han tenido varias escenas de mutuo reproche ante los hijos y quieren encontrar una solución. María dice que Pedro es muy trabajador, pero demasiado ahorrador. Pedro se defiende de esta acusación respondiendo que María puede gastar en todo aquello que sea necesario, pero que no quiere que se compren cosas superfluas y ella es «un tanto manirrota». María quería hacer cambiar a Pedro en esto, pero sin entrar en discusiones, sin armar ninguna trifulca. Me preguntó: «¿Tiene alguna receta milagrosa para lograr que un marido roñica sea más espléndido con su esposa?» «Evidentemente —le contesté—. Atribúyele la virtud de la generosidad, aprovecha la menor ocasión en que se muestre un poquito más dadivoso para proclamarlo a los cuatro vientos, y que tus familiares y mejores amigos escuchen de tus labios que Pedro se ha vuelto un hombre más esplendido y generoso contigo.»

Lógicamente, María soltó una sonora carcajada y me dijo que no le vacilara, que le hablara en serio y que me dejara de bromas. «Estoy hablando en serio. Prueba durante al menos un par de semanas a alabarle las cosas positivas que veas en él y, sobre todo, repítele, como si de un disco rayado se tratara, que desde que es más comprensivo y dadivoso contigo, te gusta más su forma de proceder.»

No pasaron más de cuatro o cinco semanas y el «milagro» se había producido. Pedro ya había tenido varios detalles de generosidad con su esposa y admitía que había sido exagerado en su actitud excesivamente controladora y «pesetera». Así pues, María esperó lo mejor de Pedro, fue constante y confiada en esta esperanza y su marido no pudo negarse a hacer realidad una cualidad que ya le atribuía.

En el mundo educativo, en el mundo laboral y en cualquier otro ámbito, funciona la fórmula de atribuir una virtud o cualidad a quien no la demuestra. Es evidente que si ésta se la recordamos a quien verdaderamente la tiene, produce idénticos resultados.

Así ocurrió con un médico al que, no hace mucho, acudimos de urgencias mi esposa y yo. Estaba muy serio, seguramente agotado tras su jornada, incluso malhumorado; sus expresiones eran cortantes, poco amables. Entonces yo le dije: «Le agradezco muchísimo su amabilidad, doctor, y su exquisita comprensión con quienes venimos preocupados. Nos hacemos cargo de lo tarde que es y lo cansado que debe estar. Muchas gracias, de verdad.» A partir de ese momento, aquel hombre fue otra persona. Olvidó las prisas y el cansancio, y se comportó con la misma actitud cercana y comprensiva que acababa de atribuirle.

No estoy haciendo una crítica, sino señalando que cualquier persona a la que se le atribuya alguna virtud o cualidad con sinceridad, hará lo imposible por demostrar que hace honor a dichas bondades. Y no digamos en el terreno de lo laboral. Si el jefe dice a su subordinado que tiene muy claro que él va a saber ser responsable de una determinada actividad y que sabe a ciencia cierta que puede confiar plenamente en él, yo no tengo la menor duda de que ese trabajador se dejará la piel por hacer buena la confianza que en él se ha depositado.

En el campo de la educación, cualquier educador en activo lo habrá podido comprobar como yo en no pocas ocasiones.

> Carlos era el único de la clase que no había logrado que yo estampara mi firma en su cuaderno mandando una nota de felicitación a sus padres por el hecho de haber logrado decirme muy bien la lección después de haberse presentado voluntario. ¿Qué

hice para lograr que estudiara y que pidiera decir la lección? Atribuirle la cualidad de estudiante responsable, aunque no la tuviera todavía. «Carlos —le dije—, he notado estos últimos días que estás más atento en clase y tienes deseo de levantarte voluntario pero no te atreves. Yo sé que ahora te estás convirtiendo en un estudiante trabajador y responsable, y dentro de unos tres días, si no te atreves a levantarte voluntario, lo haré yo pidiéndote que me digas la lección.»

Carlos trató de escabullirse, de negar que él estuviera deseoso de levantarse voluntario, etc., pero yo insistí en que lo tenía claro y que le preguntaría muy pronto. Evidentemente, el joven mal estudiante, ante tanta contundencia y seguridad en su esfuerzo por mi parte, no tuvo más remedio que ponerse a estudiar. Le felicité públicamente, mandé una nota firmada en su cuaderno diciéndole a sus padres que me sentía orgulloso de su extraordinaria reacción y esperaba que ellos también lo estuvieran. A partir de entonces, aunque hubo momentos de vacilación y de menor esfuerzo por su parte, yo seguí contumaz, defendiendo que confiaba en él y en su cambio a mejor y no me defraudó.

Para recordar

✎ Espera lo mejor, da por hecho que el educando, antes o después, adoptará una actitud responsable, inteligente y comprometida, que hará lo que le resulta más conveniente aunque le cueste y se responsabilizará de sí mismo; acaba por convertirse en una poderosísima razón-motivación para mejorar las cosas.

✎ No olvides apuntarle, sugerirle o indicarle las extraordinarias consecuencias favorables, los beneficios que obtendrá de esa actitud inteligente.

✎ Felicítale pública y privadamente, reconoce su esfuerzo y sigue esperando lo mejor, a pesar de los fallos.

6. Ten fe en la valía, capacidad y voluntad del educando

Vale más actuar exponiéndose a arrepentirse de ello que arrepentirse de no haber hecho nada.

Giovanni Boccaccio

Es importante saber esperar lo mejor, demostrar confianza y tener la certeza de que el educando pondrá los medios a su alcance, colaborará y pasará a la acción aunque le cueste. Pero para ello necesita que sus padres y educadores le consideren capaz, inteligente y decidido, que tengan fe ciega en su valía, en sus aptitudes. «Tú puedes, tengo plena confianza en tus aptitudes, hijo, sólo te queda aplicarte con enérgica voluntad y lograrás el objetivo que te has propuesto.»

La fe en sus aptitudes sólo producirá los mejores resultados si es auténtica, si no es simulada, si de verdad, de corazón, le consideramos capaz. Esa fe debe ir acompañada de la certeza que tenemos de que el educando ya ha superado el principio del placer y es consciente de que, como persona responsable, debe regirse por el principio del deber.

Un tercer componente de la fe en el educando que ha de tener todo educador inteligente es contar con los fallos, los momentos bajos y los fracasos, considerándolos siempre como algo circunstancial, puntual y pasajero. De los fallos se aprende.

> Un joven estudiante se vio obligado a repetir curso por haberse fiado y no haber llevado al día las tareas, además de distraerse con ciertos amigos poco responsables. Estaba hundido y perdió la confianza en sí mismo hasta el punto de que había tomado la decisión de abandonar sus estudios. Los padres vinieron a verme para pedirme consejo, ya que el chico estaba encerrado en sí mismo y convencido de que no valía para estudiar. Como no tuve la

oportunidad de tratar directamente con él, preparé bien a los padres sobre cómo debían actuar y lo que debían decirle. El resultado no se hizo esperar. Estas palabras fueron las que recomendé a los padres de este joven desmotivado y dispuesto a dejarlo todo:

> «Tu madre y yo tenemos muy claro que eres muy inteligente y capaz; tanto como guapo y buena persona. Pero también tenemos claro que lo que ha sucedido es una consecuencia lógica de que durante este curso apenas te has esforzado en estudiar. Este fracaso es tan sólo un punto negro que puedes borrar entre tantos puntos positivos acumulados durante toda tu vida de estudiante. Sabemos que lo vas a lograr, no tenemos la menor duda, y repetir curso te servirá para comprobar dos cosas:
>
> »1. Que puedes pasar a convertirte en uno de los más brillantes estudiantes, pero que para lograrlo tú mismo has de diseñar el programa de acción. Si nos lo permites, al menos al principio, hasta que tengas un buen hábito de estudio, te iremos recordando que debes ser fiel a ese plan que te has trazado.
>
> »2. Te convencerás por ti mismo de que nosotros estamos en lo cierto al tener fe ciega en ti y en tus capacidades. Verás que tenemos razón y que lo único que te faltaba era un plan de acción, saber organizarte y ser constante en el día a día.»

Si a esto los padres pueden añadir el relato de algún fracaso de su pasado como estudiantes y contar al hijo cómo lo superaron, cómo se vieron obligados a tomarse las cosas en serio, a estudiar mucho más y permitir que algún adulto controlara y evaluara, de vez en cuando, su esfuerzo y constancia, el estudiante se hará más voluntarioso y decidirá repetir el curso, pero con el propósito de obtener unos excelentes resultados.

Que los nuestros —familiares, amigos, profesores y tutores— tengan fe en nuestras posibilidades, nos reafirmen, sientan por nosotros respeto y gran estima y crean que podemos lograr el objetivo que nos hemos marcado, es un acicate muy poderoso y motivo suficiente para que muchos decidan pasar a la acción y superar todas las dificultades.

La falta de confianza en las propias capacidades, la sensación de que nadie apuesta nada por nosotros y que no despertamos en los demás cierta consideración o admiración nos inhibe y reprime. Aun así, no debemos caer en un estado de temor y de prevención con la disculpa de que podamos equivocarnos o no estar a la altura. Como dice Boccaccio, «es mejor actuar exponiéndonos a que algo nos salga mal, que arrepentirnos por no haber hecho nada».

Las cosas entrañan casi siempre dificultades de todo tipo, que no se vencen a la primera, y es la fe en nosotros mismos quien nos inyecta la fuerza suficiente para seguir intentándolo.

¿Por qué considero que el educador inteligente utiliza casi de forma habitual la fe ciega en el inmaduro? Porque es consciente de que cuando alguien duda de sí mismo, de sus posibilidades y capacidades, puede recuperar la fe en lo que es y en lo que se propone, si tiene a mano la «respiración asistida» de la fe ciega de sus padres, tutores y profesores.

He comprobado incontables veces a lo largo de mi vida profesional que los fracasados escolares, los tímidos, los inseguros y las personas con conductas delictivas o violentas no suelen sentirse capaces de poder superar sus carencias, trastornos o problemas; no tienen la menor fe en sí mismos ni en sus posibilidades de cambio a mejor. Es más, la mayoría está convencida de que su forma de ser constituye algo crónico, decisivo, imposible de modificar. En definitiva, no piensan ni por un momento en la posibilidad de mejorar su conducta y solamente cuando uno piensa que puede es capaz de lograr algo. Sin un pensamiento positivo, de fe en uno mismo, sin una firme convicción de sentirse con fuerzas y habilidad para lograr algo, nadie mueve un dedo. Si esto es así, cualquiera que tenga a su cargo personas, sea cual sea su edad, capacidad y formación, puede ayudarles a mejorar sus resultados insuflándoles fe ciega, dejándoles claro que confía en sus posibilidades, recursos y aptitudes.

¿Es suficiente la fe en la valía y capacidad del educando?

A veces, sí es suficiente, pero en ciertas ocasiones, como la persona inmadura no tiene experiencia, no ha desarrollado las habilidades básicas, entonces la fe que le transmitimos pierde efectividad. Cuando esto suceda, debemos estar atentos para entrenarle en las destrezas necesarias para lograr pronto pequeños éxitos que le motiven y aumenten su autoestima.

También es cometido del educador inteligente sugerir estrategias, mostrar ejemplos y modelos de personas con los mismos problemas, dificultades y carencias a pesar de las cuales se logró el éxito. Veamos la siguiente historia:

> Carmen era una mujer joven con bastante mala suerte en sus relaciones sociales. Trataba de caer bien a los demás y se esforzaba por hacer amigos, pero era tanta la necesidad de que la aceptaran, que terminaba por agobiar a la otra persona. Vino a mi consulta convencida de que era «gafe», que a todo el mundo le caía mal y que no lograría nunca hacer buenos amigos. Primero le hice reflexionar sobre su conducta obsesiva: «No te obsesiones, los amigos llegarán pero sólo si aprendes antes que tú debes ser tu mejor amiga. Tienes una autoestima muy baja, te comparas con los demás de manera desfavorable y siempre te calificas de desastre. Con ese trato que te das, con esa idea que te has formado, no vas a ningún sitio, porque tú misma te condenas. Estás en un grave error que debes corregir. Yo sé que tienes mucho que ofrecer, mu-

cha riqueza de sentimientos, y quienes se relacionen contigo se enriquecerán. Ten plena fe y seguridad en tus posibilidades, porque si tú no crees en ti misma, aunque muchas personas y yo creamos en ti, de poco te servirá.»

Después de tres o cuatro sesiones, Carmen empezó a sentirse mejor, más fuerte, más valiosa, confiando en sus posibilidades. Pero entonces le faltaban estrategias, no sabía cómo relacionarse sin agobiar, sin asfixiar al otro con sus tremendos deseos de afecto. Yo tenía que proporcionárselas, y nadie mejor que Mercedes, otra joven de su misma edad que acababa de superar su timidez y falta de autoestima, quien podía servirle de ejemplo vivo. «A mí me sucedió algo parecido a ti —le contó—, así que sé lo que sientes. Sientes que eres un ser despreciable, que estás gafada, que no lograrás caerle bien jamás a nadie. Me encantaría que las dos ejercitáramos las habilidades para hacer amigos, pero como un juego, sin prisas, sin convertirlo en una obsesión. Disfrutaremos conociendo a gente y ahora empezaremos por conocernos a nosotras mismas.»

Éstas fueron las palabras de aliento de Mercedes que sirvieron de ejemplo y modelo a Carmen, a quien la sola fe en sus posibilidades no le bastaba. Necesitaba aprender el «cómo se logra», el «cómo lo hiciste tú» y sacar provecho de tales enseñanzas.

Para recordar

✏ Cree y confía en quien tiene dificultades para creer y confiar en sí mismo y en sus capacidades. La fuerza de su fe y confianza despertará y activará la fe y la confianza dormida del otro.

✏ Demuéstrale que tú y otros muchos pasaron por situaciones semejantes, que tuvisteis los mismos sentimientos y los superasteis todos. Nadie está gafado; es sólo la propia actitud derrotista la que inmoviliza.

CÓMO INCREMENTAR LA AUTOESTIMA DE TU HIJO

— Haz una lista de sus cualidades y valores y dedícasela. Demuéstrale su valía.

* * *

— Irradia pensamientos y sentimientos positivos y de esperanza hacia tu hijo.

* * *

— Dedícale tiempo exclusivo, sin interrupciones ni prisas.

* * *

— Cuando hables de él con otras personas, pon cuidado en reconocer sus cualidades y méritos. No le critiques jamás a sus espaldas.

* * *

— Reconoce su esfuerzo, su interés, su concentración y sus logros.

* * *

— Estate atento a «cazarle» en algo bueno y meritorio para felicitarle por su esfuerzo.

* * *

— Ayúdale a desarrollar las habilidades sociales o de otro tipo que más precise.

✎ Hay que enseñar estrategias, es decir, el «cómo se logra» y obligar a la persona a experimentar, a salir de la inactividad y del negativismo. Los pequeños éxitos irán despertando la confianza en ella misma y en sus capacidades.

7. Busca algo bueno en el educando y lo encontrarás

La confianza en uno mismo es el secreto del éxito.

Ralph W. Emerson

El que siembra vientos recoge tempestades; pero el educador que siembra actitudes y pensamientos positivos acaba por encontrar algo bueno y meritorio en el educando inmaduro. En esta vida todos somos exploradores, buscadores de oportunidades, de bienes que a veces confundimos y constituyen verdaderos males. Con la lupa potente de nuestro pensamiento tenemos a nuestro alcance la posibilidad de enriquecernos, si vamos a la caza y captura de todo lo positivo que hay en las personas, en la vida, en las circunstancias que vivimos; o de empobrecernos, si esa lupa de nuestro cerebro sólo acierta a focalizar lo negativo de cuanto sale a su paso.

Cualquier lector, por joven que sea, habrá tenido la oportunidad de encontrarse a menudo con dos tipos de personas: las que suman y las que restan, las positivas que siempre encuentran la manera de hallar algo valioso, meritorio y digno de consideración en los demás y en la vida misma, y las negativas, a las que nunca encontrarás verdaderamente alegres, contentas y expresando verdadero gozo por los éxitos de los demás. Les cuesta ver algo meritorio y digno en sus semejantes; sus quejas, su derrotismo y sus juicios catastrofistas son tan habituales como la manía por encontrar algo denunciable, criticable, negativo y destructivo en sus semejantes. Unos van por la vida sembrando ilusión y esperanza, alentando lo poco o mucho de lo aprovechable que van descubriendo; otros dejan su babosa huella de negativismo y de tristeza por doquier, incapaces de encontrar algo bueno en nadie, porque la bondad, la ilusión, el bien no anidan ni en su mente ni en su corazón.

El educador inteligente trabaja con una poderosa mente positiva, siempre dispuesta a sumar e incluso a multiplicar el bien, las cualidades y los méritos que descubre en el educando. Contribuye a que sus hijos o alumnos eleven su autoestima, se consideren valiosos y capaces de lograr cuanto se proponen con esfuerzo y tesón.

Padres y profesores tenemos que convertirnos en exploradores y descubridores de todas las potencialidades y tesoros que guardan los educandos en su mente y en su corazón, enseñándoles a potenciarlos, conservarlos y orientarlos en beneficio propio y de los demás. Por eso, no sirven los educadores derrotistas, los que generan desconfianza, los que desalientan o traumatizan.

Recuerdo que hace bastantes años fui invitado a unas jornadas educativas que organizaba un colectivo de profesores y educadores en la ciudad de Burgos. El tema que me tocó impartir fue la motivación de los estudiantes fracasados y con baja estima, aquellos que se han instalado en el mínimo esfuerzo. Parte de las estrategias que allí expuse están en este libro. La que causó más extrañeza en los profesores fue la de tratar de encontrar el punto débil, su punto de apoyo o tecla mágica, esa que activa los resortes de su voluntad. El educador inteligente sabe que todas las estrategias fracasan si no activa adecuadamente ese interruptor misterioso.

«¿Cómo podemos dar con él?», me preguntaban. «Pues convirtiéndonos en exploradores, en descubridores de lo más aprovechable, valioso y meritorio que tenga cada uno —les contesté—. No cometáis el error de poner vuestra atención sólo en las aptitudes intelectuales; es más, creo que resulta preferible descubrir otras cualidades que no tienen que ver demasiado con la capacidad intelectual: la sociabilidad, la facilidad para hacer amigos, la simpatía, la generosidad, la lealtad, la sinceridad... Incluso sirven las cualidades físicas, como ser un buen deportista, resultar atractivo, tener una alegría contagiosa.» El educando debe sentir que nos importa como persona, como ser humano, y que no centramos todo en los estudios. Precisamente, para que llegue a darle importancia a su formación intelectual, debemos insistirle en la idea de que la formación *integral* es la que define a un ser humano. Saber mucho de un determinado tema hasta lograr ser un buen especialista es importante, pero todos somos mucho más que el trabajo que realizamos.

El último estudiante desmotivado y a punto de dejar los estudios que ha pasado por mi consulta es Diego. Ésta es su historia:

> Se trata de un joven muy simpático, con muchos amigos; una excelente persona pero sin voluntad y que se deprime al ver los escasos resultados que obtiene. Da por hecho que, haga lo que haga, él es nulo para los estudios. Ya en la primera entrevista observé que no era consciente de las estupendas cualidades, aptitudes y valores que tenía como persona. Sus profesores siempre habían centrado sus observaciones en los escasos resultados escolares. Lo único que le reconocían todos —padres, amigos, profesores y allegados— era su cualidad de «buen chico», pero habían olvidado descubrir su talón de Aquiles motivador, capaz de despertar y activar la confianza en sí mismo.

En compañía de sus padres, me convertí en un explorador de su gran inteligencia emocional, que ni Diego ni sus padres y profesores habían detectado o, al menos, habían sabido utilizar como punto de apoyo para potenciar la confianza en sí mismo. Empecé por pedirle a él y a sus padres que me respondieran a un cuestionario que transcribo a continuación.

—¿Te aprecian tus amigos?

—¡Muchísimo! —contestaron sus padres sin que Diego pudiera pronunciar ni una sílaba.

—¿Suelen consultarte cosas personales y recurren a ti en sus momentos difíciles?

—La verdad es que cuando alguien está mal o necesita algo, siempre viene a mí —dijo Diego.

—El teléfono no para de sonar cuando está en casa —replicó su madre.

—Supongo que la mayoría de tus amigos serán del colegio, ¿no?

—Tiene amigos en todas partes: en el bloque donde vivimos, en Benalmádena donde vamos de veraneo, en el colegio y allá donde va. Es como un imán: todos le buscan y le aprecian —intervino de nuevo la madre.

—Veo que eres un tío atractivo y bastante fuerte. ¿Haces deporte?

—Soy del montón, aunque mis colegas me dicen que les gusto a las chicas. El deporte me encanta. Soy cinturón marrón de judo y en natación he ganado varias medallas en competiciones de mi colegio.

Seguí haciendo preguntas a Diego en presencia de sus padres y descubrí que era un joven que sabía ponerse en lugar de los demás, generoso, sacrificado y defensor de los más débiles, atractivo, sociable, buen deportista... Cuando terminé el cuestionario, le comenté a sus padres:

—¿Os dais cuenta del hijo tan extraordinario que tenéis?

—La verdad es que no nos podemos quejar y estamos muy orgullosos de él —dijo el padre—. A medida que usted hacía las preguntas, mi mujer y yo íbamos cayendo en la cuenta de que todos hemos estado tan obsesionados con las notas que hemos cometido el error de no valorar las otras cualidades que sin duda tiene.

—Diego, tienes una extraordinaria inteligencia emocional, esa que sirve para vivir. Debes aprender a estudiar pero sin obsesionarte por las notas, sólo por el deseo de saber más. Esa facilidad y ese encanto que tienes para rodearte de amigos, para ser el centro de atención de todos porque confían en ti y te necesitan, te convierte en una persona tan especial que tengo la absoluta certeza de que, hagas lo que hagas, alcanzarás el éxito en la vida. A esto hay que añadir tu gran atractivo físico y tu simpatía. Desde hoy, recuerda bien, no estudies para sacar buenas notas y echa mano de esos buenos amigos que saben más que tú; seguro que estarán encantados de ayudarte.

Tan sólo un mes después de esta entrevista, me llamó su tutor para decirme que Diego era otra persona en clase. Se le veía más interesado y atento, preguntaba lo que no entendía y había salido varias veces voluntario a dar la lección, según le habían comentado los profesores.

En educación, la idea central de cualquier estrategia, el punto de arranque, es siempre el mismo: buscar algo bueno, valioso y meritorio en el niño o el adolescente con la autoestima por los suelos. Por eso no ceso de repetir a profesores y educadores, aunque algunos me califiquen de iluso, que *hay que buscar éxitos para encontrar éxitos o posibilidades de éxito*. Nadie hay tan tonto o tan escaso de cualidades que no tenga algo verdaderamente valioso que nos sirva para atizar el fuego de su voluntad y de la confianza en sí mismo.

Para recordar

✏ El educador inteligente siempre suma o multiplica las cualidades y méritos del educando; jamás resta obsesionándose con lo negativo.

✏ Debemos convertirnos en exploradores y descubridores de aquellos méritos y cualidades que el mismo educando no valora lo suficiente.

✏ El «tesoro» descubierto, eso que no valoraba o desconocía en sí mismo el educando, servirá de acicate para que tenga fe en sus posibilidades.

8. Actúa con firmeza, establece límites y di ¡NO! cuando sea necesario

Ha de haber medida en las cosas, y, finalmente, hay ciertos límites allende de los cuales, el bien no puede subsistir.

Horacio

Hasta ahora hemos puesto el acento en la importancia de que el educando se sienta querido por sí mismo, el cuidado que debemos poner en lo que decimos y cómo lo decimos, la necesidad de la empatía, de que vea que sus sentimientos nos afectan, de demostrarle sin tapujos nuestras limitaciones, de esperar lo mejor, confiar en sus aptitudes y tener fe en su valía personal, de ser buscadores de lo mejor que pueda ofrecer.

Con estas actitudes y formas de intervención inteligente hemos puesto las bases de la autoestima y ahora ha llegado el momento, también absolutamente necesario, de la firmeza educativa. Los padres y profesores blandos, manejables, volubles, incapaces de establecer límites y mantenerlos, no sirven para educar. Pueden haber llevado a la práctica los siete puntos anteriores, pero sin la autoridad para exigir que mantengan el comportamiento adecuado y que aprendan a ponerse ellos mismos sus propios límites.

Ya hemos comentado que, en torno a los 8 años, un niño debe tener asumido que no siempre podemos hacer todo lo que nos apetece y gusta. Sucede que a nadie le gusta que le pongan límites, pero no tenemos otra alternativa si queremos que nuestros hijos o alumnos aprendan lo que es necesario y conveniente.

¿Qué cosas no quieren hacer la mayoría de los niños?

— Ordenar sus cosas: habitación, mesa de estudio, juguetes...

— Todo lo relacionado con el aseo corporal: ducharse, lavarse los dientes o las manos, cambiarse de ropa interior...

— Todo lo relacionado con esas actividades que exigen un sentido del control y de la medida: comer a sus horas y sin excederse, no tomar chucherías a cada momento, dejar de jugar o de ver la tele para irse a dormir ...

— Los comportamientos de respeto, buenas maneras y lenguaje cuidado: saludar, dar las gracias, no decir tacos, dejar paso a las personas mayores...

— Las tareas o deberes escolares.

¿Qué sucede si les exigimos que hagan lo que deben porque es bueno y tienen que aprender?

Lo normal es que protesten, se enfaden, respondan con rabia y de malos modos, nos ignoren y hasta nos digan que somos malos, que no les queremos. Como no les gustan los consejos, las normas y las exigencias sobre su conducta, nos dan a entender que nos aprecian menos y hasta que nos odian. ¿Por qué? Porque todavía no son capaces de entender que en esta vida no siempre podemos hacer lo que nos place y que nadie está preparado para vivir sin ejercitarse en hacer muchas veces lo que es bueno y conveniente, aunque cueste y sea difícil.

Además, no aciertan a entender tampoco que somos buenos padres precisamente porque les exigimos lo que es bueno para ellos, por más que ello entrañe dificultades.

Cuando una madre firme pone ciertos límites y exige el comportamiento de unas normas a su hijo de 6 años, éste, montando en cólera, le dice: «No me quieres y te odio.» A pesar de esta respuesta, debe saber que el futuro de su hijo depende en buena medida de la manera inteligente en que ella sepa actuar y responder al hijo malhumorado.

Lo primero que debe venir a nuestra mente es que un niño que dice a sus padres que les odia sólo esta pidiendo que le dejen hacer sus caprichos y que el resentimiento es algo pasajero que durará menos en la medida en que los progenitores no se sientan impresionados por las llantinas, descalificaciones y amenazas del niño. Así, la respuesta adecuada del padre o de la madre podría ser: «Veo que estás muy enfadado porque no te dejo hacer algo que está mal, como utilizar la mesa del comedor de pista de carreras para tus coches. Tú sabes que la mesa la utilizamos para comer cuando estamos todos y que puede rayarse. Pienso que tu enfado y esas palabras de odio hacia mí se pasarán cuando pienses que tengo razón. Entonces, más tranquilo, me puedes proponer un sitio más adecuado para tus juegos, como la sala de estar, tu propia habitación o la terraza.»

Resultados de la intervención inteligente

El niño no tarda en venir junto a su madre para decirle que ya no está enfadado y que ha elegido la terraza como lugar para sus juegos.

¿Se ha preguntado el lector por qué nos cuesta tanto a los padres ser firmes, exigir disciplina, establecer unos límites? A la mayoría de los padres, cuando se les comenta que sus hijos están demandando firmeza educativa, autoridad dialogante y pidiendo a gritos un ¡NO! a sus caprichos, les entra el temor de que sus hijos dejen de considerarles maravillosos, encantadores y adorables, que piensen que ya no les quieren. Sin embargo, no hay otro camino si queremos formar personas con voluntad y autodisciplina, capaces de ponerse sus propios límites y estar bien preparados para la vida. Es preciso pasar por el trago de que a los hijos no les parezcamos unos papás tan idílicos y maravillosos.

La escena familiar que transcribo a continuación me la contaron unos padres que pasaron por mi consulta para ver cómo podían intervenir de manera inteligente ante las exigencias de Andrés, su único hijo de 9 años, de ver cierto programa de televisión para adultos porque otros niños de su clase también lo veían.

> *Andrés*: —Papá, nunca me dejas ver este programa y tampoco algunas películas porque dices que son para mayores; por fa, no pongas esa cara tan seria.
>
> *Padre*: —Comprendo, hijo, que te encante ver la tele. Se pueden aprender muchas cosas y hasta divertirse con los programas buenos y aconsejables para un niño de tu edad. A mí también me gusta ver la televisión, pero el programa al que te refieres no es recomendable para un niño de 9 años. Ni yo mismo lo veo porque los participantes se insultan, dan gritos, usan un lenguaje soez...

Andrés: —A mí no me importa que tú no lo quieras ver, pero yo sí quiero porque muchos chicos de mi edad me lo cuentan y lo ven porque sus padres les dejan verlo. ¡No hay derecho, siempre me tratas como un niño y yo ya soy mayor!

Padre: —Hijo, yo quiero para ti lo mejor y tengo claro que ese programa no es conveniente y puede perjudicarte. Mi respuesta es no y es definitiva. Si otros padres permiten a sus hijos ver este tipo de programas nada recomendables, es su problema y su responsabilidad. Seguro que encontramos otros programas o películas que te encantarán. Te propongo que este fin de semana, mamá, tú y yo veamos qué programas divertidos y qué películas interesantes podemos ver juntos o tú solo. Queremos que aprendas a ver televisión, pero, si es posible, buena televisión y nosotros te ayudaremos a que vayas decidiendo por ti mismo lo que divierte de verdad, lo que enseña y motiva la mente. Espero que esta discusión que acabamos de tener nos sirva para que tú y nosotros aprendamos a seleccionar y ver buena televisión.

Conclusión pedagógica

A los padres no debe temblarnos el pulso cuando tengamos claro que hay que decir NO a algo de manera rotunda. Un niño desde pequeño tiene que saber que hay ciertas cosas y conductas que por su inconveniencia, improcedencia o peligro NO SON NEGOCIABLES, es decir, que no se pueden tolerar y que hay que ponerle límites. Hemos de saber que en temas como éste nos jugamos mucho; nos jugamos que nuestro hijo sea fuerte psicológicamente, autodisciplinado y capaz de ponerse límites a sí mismo. Es la forma de evitar que en el futuro se sienta arrastrado a situaciones de conflicto (alcoholismo, drogadicción, abulia, pasotismo, baja estima...).

¿Cómo decir NO *de forma contundente y también con inteligencia y eficacia?*

— Hay que estar físicamente bastante cerca del hijo, a unos pocos metros de distancia, y con semblante serio pero sereno. Mirándole a los ojos, pronunciaremos una frase corta y contundente del tipo: «Sabes que mi respuesta es ¡NO! y que es definitiva.»

— Si falta firmeza, seguridad y decisión en la respuesta, nuestro hijo captará el matiz de posible vulnerabilidad y volverá a la carga con nuevas estrategias e insistencia.

— A veces puede ser conveniente meditar y sopesar la respuesta, pidiéndole al hijo un tiempo para ello. Así verá que no se trata de una decisión que se toma movido por la ira, los nervios u otros motivos, sino tras una serena reflexión.

— Las explicaciones deben ser sólo las mínimamente necesarias. Si se dan excesivas explicaciones y en tono quejumbroso, como pidiendo disculpas por la decisión tomada y esperando que el niño se muestre comprensivo, estaremos perdidos. Descubrirá nuestro punto débil e insistirá en sus pretensiones con mayor vigor, amenazas y gestos de rabia e ira.

— Ser firmes y contundentes no ha de impedirnos reconocerles sus sentimientos: «Ya sé lo mal que lo estás pasando. Te sienta fatal no satisfacer este capricho o deseo, como a mí me sucedió cuando el abuelo, al ver que iba a perder uno de los cursos porque unos amiguetes que no daban ni palo me llevaban por el mal camino, me alejó de ellos y sólo me dejó jugar con los vecinos del bloque donde vivíamos. Sé que estás enfadado y te comprendo, pero no hay otra alternativa.»

— Siempre que sea necesario decir NO y poner límites, es bueno recordar las siete medidas anteriores: amor, comprensión, refuerzo de la autoestima, tacto en las palabras, etc.; pero de nada servirán sin esta actitud decidida de exigirles un comportamiento adecuado, de hacer lo que sea conveniente para su formación física, psíquica, intelectual, moral y social. En definitiva, para su formación integral.

9. Evita los castigos: no son eficaces y existen mejores alternativas

El castigo nuevo pierde su eficacia si se ve que la pasión anima a quien lo impone.

Concepción Arenal

La frase de Concepción Arenal que encabeza este capítulo da la clave de por qué no son eficaces los castigos. En todos los enfrentamientos verbales entre padres e hijos surge esa «pasión» de la que ella habla en forma de furia, amenazas, descalificaciones, gritos, maldiciones...

Cuando castigamos, lo normal es que estemos fuera de control, con los nervios rotos, desesperados, cansados, dolidos, y que nuestras palabras y actitudes denuncien ciertos deseos incontrolados de venganza que hacen que nuestros hijos centren su atención casi de forma exclusiva en el mal que creen que deseamos causarles para «pagar» por lo que han hecho o han dejado de hacer. Creen que sólo pretendemos tomarnos la revancha, desquitarnos, y no piensan nada más que en que les estamos atacando. En tales circunstancias no pueden reflexionar sobre lo que han hecho mal y cómo corregirlo, sino que sólo piensan en cómo devolver el golpe al castigador.

Decíamos arriba que había que establecer límites con firmeza y que hay cuestiones que no son negociables. Pero si a pesar de todo nuestro hijo o educando traspasa esos límites y no sigue las normas establecidas, la educación inteligente debe tener alguna alternativa a los castigos, pero no funcionan, no son la solución mejor.

¿Qué idea tiene del castigo el 99 por ciento de las personas? Lo consideran una sanción, una corrección, una medida drástica cuya misión es que, por temor, alguien corrija una conducta. Pero nadie admite que, tras recibir el castigo, la persona castigada decidirá obrar bien por convicción propia, porque es consciente de que debe poner los medios de cara al futuro. Veamos un ejemplo de la vida real y cotidiana, tal y como lo puede vivir cualquiera.

Madre: —¡Carlos, apaga la tele de una vez! Es hora de dormir, mañana tienes colegio.

Carlos: —¡Mamá, por fa, déjame sólo un ratito más!

Madre: —Ya te he dicho por cuarta o quinta vez que es muy tarde y tienes que levantarte pronto para ir al colegio. Sé obediente y acuéstate.

Carlos: —¡Pero mamá...!

Padre (en silencio hasta ese momento): —¡Carlos, ya está bien! Obedece a tu madre y no discutas. ¡A dormir sin rechistar!

Carlos: —¿Y tú por qué te metes, papá?

Padre: —Una sola palabra más y te doy un bofetón que te duermo para una semana. —El padre sale de la habitación malhumorado y hablando entre dientes sobre la blandenguería de su esposa.

Carlos: —Odio a papá. Sólo sabe meter miedo y decir que me va a partir la cara. Ya me ha pegado y castigado varias veces, porque le gusta hacerlo. —Apaga la tele y se va a acostar refunfuñando, dando empujones a las puertas, patadas a las sillas y murmurando—: Cuando sea mayor se va a enterar. Y luego que no me venga con «dame un beso y te quiero mucho», porque le diré que me deje en paz.

Reflexión pedagógica sobre la intervención educativa del padre

• Consiguió que Carlos apagara la tele y se fuera a la cama, pero exacerbó sus sentimientos vengativos, le hirió y no logró fomentar en su hijo los deseos de colaborar y obedecer a su padre.

• ¿Es positivo que el hijo actúe por temor ante las amenazas? Yo creo que no, porque no se consigue su colaboración y, además, resulta preocupante el resentimiento que el padre siembra en él.

¿Cuál hubiera sido la intervención inteligente por parte del padre?

• Por supuesto actuar con firmeza, pero sin amenazas de violencia. Hubiera sido mejor empezar por ser empático, reconociendo que, cuando uno está a gusto disfrutando de algo, le cuesta cortar pero hay que hacerlo: «Comprendo lo que te está pasando, porque te gusta mucho ver la tele, pero es más importante dormir lo suficiente. Tu madre te lo ha explicado con claridad. Y como te cuesta hacerlo a ti solo, voy a apagar la tele yo en tu lugar hasta que sepas decidir por ti mismo. Pronto llegará ese día en que mandes sobre ti mismo y seas dueño de tus actos. Entonces no necesitarás que mamá o yo te recordemos qué hacer, porque lo harás sin necesidad de nadie.»

El padre puede aprovechar también la ocasión para relatarle al hijo alguna experiencia similar de su infancia.

¿Qué consecuencias negativas detectamos en los castigos?

Antes de especificar medidas educativas inteligentes como alternativa a los castigos, es bueno que reflexionemos un poco sobre las consecuencias negativas de los mismos:

— La simple palabra «castigo» ya tiene connotaciones desmotivadoras, paralizantes, que generan actitudes defensivas, de resentimiento o de revancha.

— Como el niño lo considera un ataque y entiende que el castigador tiene deseos de dañarle, activa su inventiva, pero no de forma positiva, constructiva y con propósito de enmienda, sino muy al contrario, para planificar su venganza.

— En adelante será más sutil y retorcido para hacer sus «fechorías» a espaldas de sus padres; se activará su habilidad para ocultar sus malas acciones y se instalará en la mentira y en la negación de las evidencias.

— Quien pega, menosprecia, infravalora o insulta a un niño está invitándole y alentándole a que imite esa forma de proceder con otras personas débiles; de niño con sus hermanos pequeños, por ejemplo, y cuando sea mayor incluso con sus mismos padres, las personas que en algún momento le pegaron o menospreciaron.

— El fin del castigo no debería ser sólo impedir que el niño haga lo que está mal, sino que reflexione sobre su responsabilidad: ha causado un mal y debe corregirlo (propósito de enmienda). Pero esta culpa positiva, este deseo de evitar en el futuro el mal causado queda imposibilitado por el castigo, ya que la bofetada, la bronca, el insulto o el menosprecio le redimen del mal causado; lo paga con el mal que le produce el castigo.

¿Cuál es el objetivo que persigue el educador? Ayudar al niño o adolescente a descubrir qué conductas son apropiadas, convenientes y beneficiosas o cuáles no lo son, aunque nos agraden y apetezcan. La intervención educativa inteligente persigue que el educando sepa corregir lo que hace mal y no reincida; pretende motivar y alentar conductas positivas y necesarias para su formación integral.

Los castigos se pueden y se deben sustituir por:

— Más información sobre las consecuencias negativas que padecerán por reincidir en conductas negativas o por no responsabilizarse y hacer lo que más conviene.

— La propia experiencia de personas muy cercanas que pagaron muy caro no corregir sus errores.

— La sugerencia de formas de conducta positiva que permiten con facilidad solucionar el problema en cuestión.

— Las muestras de apoyo incondicional para ayudar a encontrar soluciones eficaces, al tiempo que les manifestamos que sabemos lo que les cuesta pasar a la acción correcta.

— El ejercicio de, en ocasiones, dejar que las consecuencias de su falta de responsabilidad les enseñen y aprendan de ellas.

— La insistencia en que no dudamos ni un instante de que les sobran aptitudes y voluntad para corregirse si así lo quieren.

— La confianza en que corregirán sus errores y su mala conducta; la esperanza en su voluntad de cambio.

Veamos en la siguiente historia de la vida real cómo se arbitran soluciones y se realiza una intervención pedagógica inteligente.

Llama a casa la profesora de Ángel para expresar su preocupación, ya que no sabe qué medida tomar para lograr que ponga un poco de atención en clase y deje de incordiar a sus compañeros. Últimamente está muy guerrero e insoportable. El padre busca un buen momento de tranquilidad y le dice a su hijo:

—Ángel, sabes que te quiero mucho y siempre que tengo que decirte algo serio lo hago con el deseo de que pensemos juntos y encontremos una solución. Ahora hay un tema muy serio que me preocupa y vamos a hablar de ello. ¿Sabes a qué tema me refiero?

—No lo sé, pero será del cole o de algo que he hecho mal.

—Nos ha llamado tu profesora muy preocupada porque dice que no sabe qué hacer. No solamente no atiendes en clase, sino que impides que tus compañeros puedan trabajar. Esto es tan grave que, antes de que te expulsen de clase durante un tiempo o del colegio al final del curso, tenemos que encontrar una solución.

—Yo no soy el único que se porta mal y da guerra en clase.

—Estoy convencido, hijo, de que hay otros chicos que también se portan mal y no sé lo que harán sus padres con ellos, pero lo que nos importa a nosotros es el problema que tenemos. ¿Qué crees que puedes hacer para portarte mejor? Te dejo un rato pensando en esto y luego hablamos. Puedes coger lápiz y papel y hacer tus propuestas por escrito.

Media hora después, el padre observa que Ángel ya ha terminado su trabajo y le dice:

—Veamos qué has pensado.

—Lo primero decirle a mi profesora que me he portado mal y disculparme. También pedirle que me ponga en las primeras mesas o con compañeros que no hablen.

—Me parece muy bien, pero además tú y yo, durante el primer mes que te costará más, hablaremos de tu conducta cada día cuando vengas del cole. Es lo que a mí se me ha ocurrido y sé que no te parece mal.

—Y si hablo alguna vez o me porto mal sin darme cuenta, ¿qué hago?

CÓMO EVITAR ENFRENTAMIENTOS CON UN NIÑO ADOLESCENTE

— Recuerda que el adolescente es frágil, inseguro y desconcertante, y necesita ejemplos constantes de autocontrol.

* * *

— No tomes la conducta de tu hijo como algo personal. Respeta las necesidades que él tiene de afirmar su identidad y de aprender de sus propios errores.

* * *

— Escúchale sin prejuicios, de una forma positiva, y no le juzgues ni descalifiques. Mejor, transmítele tus reflexiones y observaciones, confiando en su sensatez y buen juicio.

* * *

— Comienza siempre por reconocerle alguna cualidad, esfuerzo o valor, algo meritorio, antes de hacerle una advertencia o corrección. E insiste en que tú también te equivocas.

* * *

— Establece límites más flexibles y negócialos con él.

* * *

— Comparte con él tus vivencias pasadas de adolescente: sus temores, sus fallos, sus éxitos e ilusiones, sus crisis, sus aventuras.

* * *

— Házle saber que comprendes que tenga secretos y que respetas su intimidad, así como su decisión de hacerte alguna confidencia.

* * *

— Intenta ser un buen modelo para él y que aprenda de tu autocontrol, tu capacidad de empatía, tu responsabilidad y tu autodisciplina. Pero muéstrate humano e imperfecto, cercano y con limitaciones.

—Pedir perdón a tu profesora, decirle que te estás esforzando mucho y que no tardarás en portarte tan bien que merezcas una felicitación.

—Papá, ahora estoy más contento, pero ¿tú crees que me echarán del cole?

—Estoy plenamente convencido de que no, hijo, porque eres bueno, confío en ti y sé que me estás hablando en serio. Además, tú y yo formamos un equipo estupendo. Empezamos mañana mismo, cuando hables con tu profesora.

Resultado de la intervención inteligente

El padre ha puesto todos los medios para que Ángel encontrara una buena salida a sus problemas sin recurrir ni a amenazas, ni a dramatismos, ni a gritos ni a castigos. Todo ha sido sustituido por una intervención sensata que ha llevado a su hijo a decidir libre y voluntariamente la manera de corregir su conducta.

10. Permite que el educando sufra las consecuencias de sus errores y omisiones y aprenda de ellos

Un error despejado da una sólida base: así, a través de los errores crece continuamente el tesoro de la verdad.

F. Rückert

Una de las más inteligentes alternativas al castigo, que ya hemos apuntado en el apartado anterior, es permitir que nuestros hijos sufran las consecuencias de sus errores y de su mala conducta, y que aprendan de ellos.

Comencemos con una escena cotidiana, como siempre, tomada de la vida real.

Alfredo tiene 7 años y una amiga de casi su misma edad, Lolita, con la que no se lleva mal pero a la que le gasta bromas pesadas; a veces, incluso, le pega y la hace llorar. Lolita es hija de Carmen, una estupenda amiga de mamá. Viven a tan sólo dos manzanas y muchas veces Alfredo acompaña a su madre a visitarlas. Un día, de camino, ella le advierte que debe tratar bien a su amiga o, de lo contrario, no le llevará más consigo.

Ya en casa de sus amigas, apenas media hora después de llegar, viene Lolita llorando porque Alfredo le ha pegado y le ha roto un juguete. La madre de Alfredo interviene:

—Alfredo, antes de venir a casa de tu amiguita te he hecho una advertencia. Dime qué te he dicho, por favor.

—No sé, que no me metiera con Lolita, pero es que llora por todo y es una chivata.

—Estamos hablando de lo que tú has hecho mal y no de tu amiga. Eres tú quien le pegas y no la dejas en paz. Te doy la oportunidad de tratarla bien y de respetarla, pero por última vez. Si vuelves a meterte con ella, nos iremos a casa y no volverás hasta que demuestres que sabes cumplir con tu palabra.

—Si me castigas me da igual.

—No te estoy castigando. Te estoy dando la oportunidad de portarte bien con tu amiga ¿La quieres aprovechar, sí o no?

—¡Valeeeeeee!

Poco después, Alfredo ha vuelto a las andadas y la niña aparece otra vez llorando. Con serenidad y firmeza, controlando su enfado, la madre le dice a Alfredo:

—Nos vamos ahora mismo y tú sabes por qué.

—No, mamá, no me quiero ir. Por favor, dame otra oportunidad.

—Veo que te molesta que tengamos que irnos, pero no es por mi culpa. Tu conducta nos obliga a ello.

—Por favor, mamá, quiero quedarme, sé buena.

—Ya soy buena haciendo lo que debo y es cumplir con mi palabra. Te dije que si te comportabas mal nos iríamos y es lo que haremos. Si pides sinceramente perdón a Lolita puedes quedar con ella otro día y demostrarle que has cambiado y que ya la tratas como se debe tratar a una amiga.

—De acuerdo. ¿Me perdonas?

Reflexión pedagógica

Alfredo pudo comprobar que su madre no era la culpable de tener que marcharse a casa, sino su mala conducta, que esta vez había tenido para él unas consecuencias negativas. En el camino de regreso, su madre le advirtió con firmeza que esperaba de él un cambio para que no se volviera a repetir más esta situación. De lo contrario, no podría volver con ella de visita a casa de Lolita en futuras ocasiones.

Un error frecuente al permitir que los hijos sufran las consecuencias de su mala conducta es convertir el aprendizaje inteligente en castigo cuando se dirigen al niño con expresiones como éstas: «Ya te lo advertí, así que ahora te fastidias», «Así aprenderás, hijo, tú solito te lo has buscado», «¿Se pasa mal, verdad?».

Estos comentarios no solamente sobran, sino que resultan negativos y destruyen el bien causado por las mismas consecuencias. En el caso que acabamos de analizar, la intervención inteligente lo que persigue es que las consecuencias (tener que marcharse de casa de Lolita) le enseñen a Alfredo que pegar no le es rentable, no le conviene, y que este episodio sea una buena oportunidad para cambiar, para corregir una mala conducta.

Cuando veo las fachadas de las calles de Madrid o de otras ciudades plagadas de *grafittis* y pienso en ciertas medidas inteligentes que no se atreven a emplear los alcaldes por temor a que sean impopulares, la primera que se me ocurre es, precisamente, la que estudiamos en este apartado: sufrir las consecuencias negativas de los propios actos. ¿Por qué no se soluciona el problema de los *grafittis* y tantos otros? Porque a esa conducta desordenada, lesiva, destructiva, no le siguen unas consecuencias negativas para el infractor. Muy diferente sería si todo chaval o adulto al que pillaran pintando *grafittis* pagara las consecuencias corriendo con los gastos de limpieza de la superficie manchada o limpiándola por sus propios medios.

¿Qué consecuencias son las que más ayudan a corregir una conducta?

Las verdaderamente relevantes, porque privan al educando de algo que valora mucho y le ayudan a reflexionar sobre su mala conducta; porque guardan relación directa con el comportamiento negativo. Por ejemplo:

> Margarita y Luis son hermanos, tienen 10 y 11 años y no hay noche que lleguen a tiempo a cenar, porque se entretienen montando en bicicleta por la urbanización. De nada han servido las regañinas ni los ruegos de su madre de que estén sentados a la mesa a las nueve y cuarto de la noche. Cada noche prometen, sin cumplirlo, que al día siguiente estarán a su hora.
>
> Entonces se les ofrece la oportunidad de pensar sobre su falta de voluntad para cambiar de actitud:
>
> —Como no sois capaces de cumplir lo prometido y llegar a cenar a tiempo, vamos a hacer la prueba de no tocar la bicicleta en quince días para que reflexionéis sobre vuestra conducta y sintáis

las consecuencias de la falta de seriedad y de palabra. Pasado este tiempo haremos la prueba de permitiros utilizar de nuevo las bicicletas y, quien no cumpla con lo pactado, tendrá que esperar dos meses una nueva oportunidad para demostrar que sabe mandar sobre sí mismo y que sabe llegar a tiempo a la hora de cenar.

Para recordar

✏ A veces, lo que nos educa es pagar las consecuencias de no haber hecho algo bien, de no obrar correctamente o de dejar de hacer algo que se debe hacer.

✏ Deja que el educando pague ese precio pero no le des a entender que disfrutas con ello. No seas irónico, simplemente permite que las cosas sucedan y aprenda de sus errores.

✏ Habrá momentos y situaciones en los que sea el educador quien tenga que decidir poner fin a una situación que se ha hecho crónica y que no se corrige.

11. Educa en la responsabilidad, porque significa educar en la toma de decisiones

La voluntad recia y dura, cuando se empeña, convierte las montañas en llanuras.

José María Pemán

Después de casi cuarenta años tratando de encontrar los cimientos de la voluntad, no me cabe la menor duda de que ayudar y entrenar a los hijos a vencer la indecisión, a elegir entre varias opciones, es el mejor camino.

Es la indecisión, la duda, la que conduce a la irresponsabilidad, a no hacerse cargo de la situación. Ya dijimos al referirnos a la decisión como acción inteligente que en ese acto en el que se superponen sincrónicamente el plano del pensamiento (decisión) y el plano de la acción (ejecución) es cuando demostramos tener voluntad, porque hacemos realidad lo pensado, sopesado y proyectado previamente.

Bien dijo Séneca que «No nos falta valor para emprender ciertas cosas porque son difíciles, sino que son difíciles porque nos falta valor». ¿Cómo se desarrolla ese valor para emprender las cosas en un niño o adolescente? ¿Cómo se desarrolla su voluntad? Enseñándole a tomar decisiones.

Los padres deben prestar especial atención a este punto y ser los primeros convencidos de su importancia para el futuro de la vida adulta. En definitiva, un ser humano no llega a ser otra cosa que lo que le permite su voluntad. De ahí la importancia de enseñar al niño que, ante las distintas alternativas, siempre hay que decidirse por una y que la elección debe ser la mejor posible. Para elegir bien es necesario sopesar las consecuencias positivas o negativas que se van a seguir de tomar una u otra decisión.

En la elección de las alternativas posibles, el niño puede equivocarse porque sólo le guía el ya mencionado principio del placer. Sucede que muchas veces, hacer lo que más le apetece no sólo no es lo más conveniente y sensato, sino que resulta claramente perjudicial. Por eso los padres deben ir reconduciendo poco a poco a sus hijos hacia el principio del deber, es decir, enseñarles a hacer lo que es bueno y beneficioso, lo que les conviene, aunque no les guste. Éste es el *quid* de la cuestión educativa en la primera y segunda infancia; el punto en el que estamos fallando casi todos los padres y educadores del momento.

Según mis observaciones y mi experiencia profesional, la edad ideal para iniciar a un niño en el hábito del principio del deber es hacia los 5 años.

Antes, en los primeros años de la niñez, el amor incondicional de los padres y, en especial, de la madre es la *conditio sine qua non* para que tenga lugar el «apego seguro», urdimbre básica o seguridad radical que necesita para sentirse protegido y desarrollar así un sentimiento de confianza en la vida y en sí mismo.

Partiendo de esa seguridad básica, se va a ir sintiendo cada vez más confiado para desarrollar sus capacidades, actuar con autonomía, tomar iniciativas, sentirse orgulloso de sus pequeños éxitos y logros... Entre los 8 y los 12 años, como dijimos, aprenderá a superar el principio del placer y a regirse por el principio del deber; esforzándose y haciendo lo que es conveniente. Educar en la responsabilidad y en la toma de decisiones es crucial, de tal manera que hacia los 12 años pueda tener cierto dominio sobre sí mismo e incluso sentir placer por el esfuerzo y la labor bien hecha.

Antes de entrar en la adolescencia, pues, lo ideal es que el niño haya adquirido autocontrol, autodisciplina y también autoamor, pasando del cariño incondicional recibido de sus padres al propio afecto, a sentirse a gusto en su propia piel, a aceptarse y ser buen amigo de sí mismo.

¿Cómo podemos educar en la responsabilidad a un niño desde pequeño?

- Poniendo especial atención a sus esfuerzos, a lo que hace bien, a las acciones generosas y a los pequeños compromisos.
- Diciéndole claramente la satisfacción y el orgullo que nos produce que sea decidido, piense las cosas y tenga buena conducta.

- Premiándole con algo agradable tras sus esfuerzos y sobre todo reconociendo de palabra sus méritos.
- Compartiendo con él desde niño tareas de responsabilidad.
- Animándole a tener opiniones y control sobre sí mismo, a que sienta la alegría que produce superar dificultades y no sentirse esclavo del principio del placer.

El bello relato que ofrezco a continuación, tomado de mi libro *Cómo educar en valores*, es el ejemplo claro de una acción educativa prácticamente perfecta, en la que están presentes el amor, la psicología, la imaginación y la paciente actitud de un padre, estupendo educador. Es Pedro quien nos cuenta la historia de su hijo Álvaro:

> Cuando mi hijo Álvaro, el sexto de siete hermanos, tenía 4 años se encontraba en plena etapa de oposición. Decía «no» a todo, era terco y caprichoso, y lloraba y pataleaba por lo más mínimo. Si no lograba lo que le apetecía en ese momento, se tiraba por los suelos y arremetía ferozmente contra todo aquel que contraviniera sus caprichos. Desde luego, acababa con la paciencia de mi mujer y con la mía.
>
> A pesar de su carácter, muchas veces afloraba su gran corazón, su emotividad y ternura, su deseo de «ser mayor». Un día, mientras yo le abrazaba felicitándole por algo que había hecho bien, me pareció el mejor momento para mantener una amistosa conversación y proponerle un pacto entre nosotros. Mirándole a sus atentos ojos con amor y firmeza al mismo tiempo, mantuve con él un breve diálogo en el que traté de hacerle ver que nadie puede poseer todo lo que le gusta y que uno se hace mayor a fuerza de renunciar y de decir «no» a muchas de esas cosas que nos apetecen, ya que no son imprescindibles para pasarlo bien y sentirnos felices. Le dije que si se había dado cuenta de la expresión de felicidad y alegría que reflejaba el rostro de su madre cada vez que él se portaba bien, sin gritar ni coger rabietas, y cómo yo no podía disi-

mular la dicha que sentía cuando estábamos juntos y contentos en familia.

Al llegar a este punto de nuestra conversación, me percaté de que Álvaro estaba muy atento e interesado y aproveché para proponerle el pacto en cuestión, que llevaríamos a cabo como si fuese un juego. Puesto que para hacerse mayor tenía que aprender a decir «no», a partir de ahora nuestro lema sería: «¡GUERRA AL CAPRICHO!» Consistía en que, cada vez que alguien sintiese el deseo de poseer una cosa que no fuera necesaria, diría en voz alta, para los demás y también para sí mismo, este lema. Todos en casa participábamos del juego, y cuando alguien pedía un Chupa-chups, una Coca-Cola o el mejor sitio en la sala de estar, los demás le recordaban el pacto.

Poco tiempo después, Álvaro fue a pasar un fin de semana con su abuela, como solía hacer a menudo. Ella, con gran ternura y con el deseo de agradarle, invitó al niño a visitar una tienda de golosinas, pero Álvaro, que se había tomado muy en serio eso de hacerse mayor, le contestó: «No puedo, que estoy haciéndole la guerra al capricho.» La abuela se quedó tan sorprendida y preocupada que hasta tuvimos que explicarle el contenido del juego.

Con el paso de los años y el hábito cada vez más asentado de hacer lo que se debe aunque cueste, de no ceder a cualquier capricho, el ánimo y la voluntad de aquel niño mimoso se fueron templando. Hoy Álvaro ha cumplido ya 15 años y, aunque está en plena etapa adolescente y tiende a seguir la línea del menor esfuerzo, es un joven muy emotivo e impulsivo, con una buena capacidad de control y, según su padre, muy servicial, generoso y de gran corazón.

Hace sólo unos días, paseaba con su padre y, de pronto, le dijo: «Papá, ¿te acuerdas cuando jugábamos a hacerle la guerra al capricho? Yo no sé qué sería hoy de mí si entonces no hubiera aprendido a vencerme.»

De esta bella historia podemos sacar, al menos, las siguientes conclusiones prácticas:

1. La educación de la voluntad debe iniciarse en la primera infancia. La formación en valores humanos ayuda al inmaduro a «ser más», a construirse interiormente.
2. Los padres debemos proponer los objetivos y retos, aunque sean difíciles, como algo tan agradable y divertido como un juego.
3. El hecho de que se impliquen todos los miembros de la familia a la hora de superar dificultades y asumir responsabilidades contribuye a convertir el deber en placer.

¿Cómo hablar con nuestro hijo?

La forma de comunicarnos y de preguntar es importante para lograr que nuestro hijo sea más decidido y responsable o todo lo contrario. Cuando en la estrategia número 2 hacía referencia al cuidado que debemos tener en lo que decimos y en cómo lo decimos, no apunté nada acerca del valor de las preguntas, ya que con ellas les incitamos a ser decididos o dubitativos. Si usted le hace a su hijo preguntas tan indefinidas como «¿Qué quieres comer?», si le da órdenes imprecisas como «Ordena tu habitación cuando puedas» o le dice simplemente «Tienes que estudiar más», le está educando más bien en la falta de responsabilidad, ya que no es usted concreto y claro.

Las preguntas, formulaciones y órdenes han de ser muy definidas, para así impulsarle a tomar una decisión inmediata. Por ejemplo:

— «Puedes hacer las tareas antes de merendar o después. Elige.»

CÓMO AYUDAR A SU HIJO A SER INDEPENDIENTE Y RESPONSABLE

— Enséñale desde niño a hacer cuanto pueda por sí mismo.

* * *

— Escucha siempre a tu hijo con una actitud positiva.

* * *

— Déjale claro que deseas su bien y felicidad, y que para ello ha de aprender a cuidar de sí mismo, a no hacerse daño ni a permitir que se lo hagan.

* * *

— Admite que tú no eres capaz de resolver un problema que concierne a tu hijo sin ayuda; él debe decidir y obrar.

* * *

— Anímale a solucionar problemas por sí mismo, dejándole claro que vas a ayudarle si es necesario, que estarás a su lado.

* * *

— Deja que tu hijo afronte las consecuencias de sus actos.

* * *

— No le tuteles constantemente y felicítale por ser cada vez más autónomo y responsable.

— «De segundo plato tenemos ternera o salmón, ¿qué prefieres?» Si el niño contesta que no le gusta ni una cosa ni otra, hay que responderle: «Pues hijo, es lo que hay, tú verás.»

— «Elige un día de la semana y una hora, que deberás respetar, para ordenar tu habitación.»

12. Procura intervenir sólo lo justo y deja que entre hermanos aprendan a solucionar sus propios conflictos

La educación consiste en enseñar a los hombres, no lo que deben pensar, sino a pensar.

Calvin Coolidge

En la dinámica de la vida cotidiana de cualquier familia, las discusiones, peleas y conflictos entre hermanos son muy frecuentes. La actitud del educador inteligente debe ser de prudente distancia, dando por hecho que van a poder solucionar sus propias rencillas, distancias y agravios sin la ayuda de los padres.

Ahora bien, desde el principio han de percibir en los padres un talante relajado, de mutuo respeto, de diálogo fluido y de saber escuchar al otro. Los padres deben enseñar a los hijos a perdonarse, a no hacer un drama por todo, a ponerse en el lugar del otro; éstos deben ser sus referentes a la hora de buscar un entendimiento. Deben reunir a los hijos y decirles: «Todos conocéis desde niños las normas de respeto y de buena convivencia que os hemos enseñado: ser escuchado, pensar en el otro, entender que nadie está en posesión de la verdad, no vanagloriarse de tener toda la razón sino permitir que nuestro contrincante se sienta satisfecho con su "parte" de razón... En el futuro, aprended a discutir pero de forma civilizada.»

¿Por qué no es aconsejable la intervención de los padres en las «guerras» entre hermanos?

Demos por hecho que la rivalidad existe de todas formas y que si los padres emitimos juicios y opiniones, necesariamente aumentaremos esas disputas, celos y mutuos resentimientos, ya que si defendemos a un hijo, el otro se sentirá atacado. Al intervenir en sus asuntos, sin pretenderlo premiamos a un hijo y castigamos a otro. El perdedor almacenará agresividad, odio y frustración, y deseará tomarse la revancha en la próxima oportunidad.

Por lo general, los padres intervenimos para encontrar a un culpable, y el resultado final no sólo no fomenta un mejor entendimiento entre los hermanos, sino que exacerba las diferencias y los odios. Todo hijo rivaliza con sus hermanos para tener más méritos ante sus padres y recibir más atenciones. Incluso si fuéramos padres ideales, nuestro afecto siempre estará en juego en mayor o menor medida.

¿Cuándo resulta necesaria la intervención de los padres o de otro adulto?

Sólo es preciso intervenir en el caso de que nuestros hijos lleguen a las manos, para evitar el daño físico. También cuando han perdido el control de sí mismos y no hacen otra cosa que insultarse y descalificarse, para evitar el daño psicológico.

En cualquier caso, el educador inteligente sabe que no es posible lograr una convivencia familiar completamente libre de disputas y celos entre hermanos, y a lo que aspira es a mantener esa rivalidad en unos límites controlables, aceptables; en términos coloquiales, sólo busca «que la sangre no llegue al río», es decir, que la convivencia y la relación fraternal no sufran daños importantes.

Conscientes de que es absurdo pretender una convivencia idílica y que las peleas entre hermanos no se pueden evitar por completo, ¿qué podemos hacer para que algo tan inevitable al menos no vaya a peor? Descubrir cuándo tienen lugar los conflictos, qué es lo que los activa, las circunstancias que los favorecen y en qué otros momentos reina casi siempre la paz. Somos animales de costumbres, con esquemas de comportamiento bastante simples.

Los psicólogos de familia afirman que el mayor número de peleas y trifulcas entre hermanos tiene lugar en presencia de la madre, no importa la hora, y que éstas siempre se agravan si ella se decanta o toma partido a favor de un hijo y en contra de otro. Otras investigaciones demuestran que, con demasiada frecuencia, los padres defienden al más pequeño frente al mayor, porque dan por hecho que este último se aprovecha del hecho de ser mayor o tiene celos de su hermano menor.

Pero, ¿qué ocurre en realidad? La verdad es que, en la mayoría de los casos, el pequeño domina al mayor y le provoca hasta lograr que pierda el control y le dé un empujón o le amenace. En ese momento, lloriquea y pide ayuda y protección a sus progenitores con la certeza de que será su hermano mayor quien reciba la reprimenda o el castigo más fuerte, mientras que él será mimado, acogido, agasajado y hasta premiado. Es lógico que el mayor, a quien nadie cree y escucha, reaccione almacenando odio contra el menor, quien aprende a ser sutilmente malvado con el mayor tan sólo para granjearse la atención y los mimos de sus padres.

Sé que a muchos padres e incluso educadores les parece extraño lo que estamos diciendo, pero no pocas guerras entre hermanos y odios de por vida tienen como causa la actitud poco inteligente de unos padres que siempre defendieron a un hijo y sacaron la cara por él, sin pararse a pensar que ellos mismos, al hacerlo, intensificaban la rivalidad entre hermanos.

¿Cómo debemos intervenir, si no hay más remedio?

Siempre podemos y debemos identificarnos con los sentimientos de nuestros hijos, pero jamás debemos estar de acuerdo con una conducta reprobable. Lo que está mal hay que decirlo con claridad, aunque siempre dejando claro que respetamos y defendemos a la persona y no la juzgamos ni condenamos. Lo que condenamos es su mala conducta que es algo puntual, circunstancial, que no le define ni le califica de manera global.

Teniendo en cuenta esto, si es absolutamente necesario intervenir en las peleas de nuestros hijos por el cariz que éstas toman, debemos tener un cuidado exquisito de no decantarnos por ninguno de ellos.

Pongamos el ejemplo de que un niño tiene a su hermano tirado en el suelo y que le presiona su espalda con la rodilla y le oprime el cuello con su mano. La intervención inmediata del adulto, separando al agresor del agredido, debe acompañarse de unas palabras breves y claras que dejen patente que nos importan y duelen *los dos* hijos, aunque uno sea el agresor y otro el agredido. Las palabras que entrecomillo a continuación u otras semejantes deberían pronunciarse en esos momentos: «No puedo consentir que os causéis daño. No permito que tú, Carlos, a quien tanto quiero, causes daño o lastimes a tu hermano Luis, a quien también quiero tanto como a ti.»

¿Qué pasa con los celos? A veces los provocamos los padres con nuestra actitud mostrando preferencias por un hijo, tratándole con más cariño, perdonándole todo mientras que a otro no le pasamos ni una. Pero de esto no solemos darnos cuenta. Lo que quiero decir es que una parte de culpa la pueden tener los padres que, con su conducta improcedente, provocan los celos entre hermanos. Sin embargo, no podemos negar que los sentimientos, las emociones naturales, están ahí y es estúpido y absurdo negarlos. Tenemos que aceptarlos tanto en nuestros hijos como en nosotros mismos.

¿Nunca ha sentido al mismo tiempo un sentimiento de amor y otro de rabia contra su mujer/marido en un momento de disputa acalorada? Si usted ha sentido estos u otros sentimientos contradictorios, acepte también que sus hijos sean celosos o tengan envidia y no les condene por ello.

El educador inteligente explica a sus hijos que esos sentimientos contradictorios los tenemos todos y que no debemos preocuparnos por sentirlos. Cuando los aceptamos y somos conscientes de las emociones que nos embargan, estamos en la mejor disposición para desarrollar relaciones de afecto, cariño, comprensión, tolerancia y ternura para con los demás.

El educador inteligente, al tiempo que acepta esos sentimientos contradictorios en sus hijos, les guía para resolver sus problemas y diferencias, les anima a expresar abiertamente lo que sienten y les impulsa a encontrar alternativas y soluciones por sí mismos. Obrando así, les prepara y entrena para unas relaciones más maduras y positivas en su vida adulta. Y consigue que el niño acepte sus emociones sin sentirse culpable y a encontrar posibles soluciones a sus problemas, con su ayuda si fuera necesario.

Veamos una historia de la vida real:

> Pedrito ha sido durante casi cuatro años el rey de la casa, el centro de todas las atenciones de sus padres, abuelos, tíos y vecinos. Pero un día llegó su hermanita y Pedrito, poco después de su nacimiento, empezó a sentirse un príncipe destronado. Todas las atenciones, todas las palabras bonitas y todos los besos eran para ella.
>
> Una tarde que se encontraba a solas con su hermana en la habitación, comenzó a mecer la cuna tan fuerte y con tanta rabia que la tiró al suelo. Al oír el llanto de la niña, la madre corrió hacia ellos, cogió a la pequeña del suelo, la consoló y acunó en sus brazos y, como era una madre inteligente, no gritó a su hijo ni le propinó un par de azotes, sino que se acercó a él, que estaba petrificado y compungido por su mala acción, le colocó a la hermanita en sus brazos con gesto cariñoso y le dijo: «Mira qué pequeñita y qué indefensa es tu hermanita. Sólo nos tiene a nosotros y yo sé que tú, que eres fuerte y mayor, por eso puedes tenerla en brazos, la quieres mucho y la vas a cuidar, y vas a procurar que no caiga al suelo otra vez. Tú, que eres más pequeño que papá y que yo, tienes nuestra protección; tu hermana, que es más pequeña que tú, también tendrá tus cuidados. Todos nos ayudaremos y cuidaremos, porque nos queremos. Mamá está segura de que eres bueno, puedes y sabes portarte bien, y lo harás.»

Reflexión pedagógica

Esta madre actuó de manera inteligente. Comprendió a su hijo, fue empática, aceptó los celos de Pedrito y, sin castigarle ni hacer que se sintiera culpable, supo conducirle a lo mejor de sí mismo, a sus sentimientos de amor y de ternura hacia su hermanita. Elevó su autoestima reconociendo que era mayor, fuerte y bueno, y tuvo fe en él al dar por hecho que en el futuro se comportaría bien.

Pedro cumplió las expectativas que su madre inteligente había depositado en él.

Cargar con las culpas del hermano menor

Algunas escenas que he vivido me han confirmado las investigaciones según las cuales no pocas veces el hijo mayor carga con las culpas del menor.

Estaba una tarde sentado en una terraza con unos amigos, cuando de pronto dos niños a todo correr se metieron entre las mesas y el más pequeño tropezó y se hirió en la frente. Segundos después llegó la madre, cogió al niño que tendría unos 5-6 años y le llevó al bar para ponerle hielo en la frente. Entre tanto, el padre se acercó al mayor (8-9 años) insultándolo. Lo zarandeó y le propinó un par de bofetadas, que el chico aguantó sin llorar. Cuando la madre volvió con el pequeño, lo primero que hizo fue propinarle otro par de bofetadas al mayor, que nuevamente soportó con estoicismo.

¿Qué puede pensar esta criatura de la conducta de sus padres? Estaba jugando con su hermano y, porque él tropieza y se hiere, se gana un par de sopapos de cada uno de sus progenitores. Se ve que el pobre chaval estaba acostumbrado a encajarlo. Un buen rato después, cuando ya nos marchábamos, me crucé con él, le hice una carantoña en la cabeza y le dije: «Ya veo que eres un tío duro, un valiente y un buen chaval.» La sonrisa de aquel niño y su «Adiós, señor, gracias», me hicieron sentir mejor tras el enfado que me cogí al ver que la pobre criatura era abofeteada de forma tan estúpida y sin sentido.

13. No les tuteles diciéndoles a cada momento lo que deben o no deben hacer

Cuando se evita a un muchacho la posibilidad de que cometa un error, se le evita también la posibilidad de que desarrolle su iniciativa.

John Erskine

Probablemente el lector se ha quedado un tanto sorprendido con el enunciado de esta estrategia y se ha hecho la siguiente pregunta: «¿Cómo no le voy a decir a mi hijo lo que debe o no debe hacer?» Es un cometido del educador informar al educando sobre lo que es bueno o no para él, sobre lo que le conviene o por el contrario le perjudica. Esto es evidente y se equivocan quienes defienden que a sus hijos hay que dejarles plena libertad para hacer lo que les apetezca, con la intención de que descubran por sí mismos lo que es mejor para ellos. Pero en esta cuestión, una vez más, debe poner orden el propio sentido común.

En los primeros años, el niño no conoce apenas nada de las cosas positivas o negativas que le rodean y, al igual que puede poner en peligro su vida metiendo el dedo en un enchufe de electricidad porque desconoce el peligro que corre, en otras muchas también necesita que los padres le enseñen y le tutelen. Por eso a los muy pequeños se les educa en la obediencia ciega a sus progenitores y cuidadores, quienes les preparan para que, de forma gradual, vayan aprendiendo a cuidarse a sí mismos y, cuanto antes lo consigan, mejor.

¿Dónde está entonces el problema? En que algunos padres y educadores no se percatan de que el niño ya ha crecido, tiene formación e información suficiente y debe gozar de cierta libertad para desarrollar su iniciativa, tomando decisiones y cosechando pequeños éxitos y fracasos como resultado de las mismas. No podemos los adultos tutelarles a los 12 años como lo hacíamos a los 8 ni a los 8 como cuando tenían 4 años.

La naturaleza no da saltos y en educación, como en casi todo, cada proceso requiere un tiempo, un ejercicio, una experiencia, un dinamismo gradual. Vayamos dando a los hijos mayor libertad y posibilidades de tomar decisiones, de equivocarse y de acertar, en la medida en que ya necesiten menos de nuestra tutela.

¿A qué edad puede un niño tomar decisiones y tutelarse en alguna medida?

Por extraño que parezca, ya hay niños capaces de ejercer cierto dominio sobre sí mismos hacia los 4-5 años (recordemos, por ejemplo, la historia que contamos de «la guerra al capricho»). Con 6-7 años, algunos son capaces de diseñar un sencillo programa de trabajo y cumplirlo venciendo la tentación de irse a jugar al patio con los amigos o de excursión al zoo. Por ejemplo, elegir la hora en que prefiere hacer un rato de lectura, descansar unos 10 minutos y terminar con unos ejercicios de matemáticas. Esto significa que tienen cierto autocontrol e, incluso, que se animan tras el cumplimiento de la labor bien hecha con frases positivas que se dicen a sí mismos.

Mi experiencia profesional me ha permitido comprobar que entre los 8 y los 12 años, como ya he dicho, los niños pueden superar en parte el principio del placer y acceder al principio del deber. También en este periodo, e incluso un poco antes, son capaces de aprender a tutelarse y lograr cierta autodisciplina.

Mi conclusión es que cuanto antes un niño sea capaz de tomar sus propias decisiones, haga más cosas por sí mismo sin ayuda y por propia voluntad, tenga la posibilidad de equivocarse sin que se le culpabilice por ello, aprenda de sus errores y pueda cosechar pequeños éxitos, mejor, porque más pronto se sentirá valioso y seguro de sí mismo. En consecuencia, mayor será su grado de madurez psíquica y afectiva.

¿Qué sucede cuando un niño tiene unos educadores que proyectan sus temores sobre el educando, no confían en sus capacidades y siguen tutelándole sine die*?*

En pocas palabras, lo que hacen es impedir en gran medida que se desarrolle de forma integral y positiva y se convierta en un niño decidido, capaz, seguro de sí mismo y autónomo, bien preparado para la vida.

Muchos adultos indecisos, tímidos, inseguros, lacrimógenos, débiles de carácter e incapaces de tomar el timón de su vida fueron niños no solamente superprotegidos en el sentido de que sus padres les evitaron todos los obstáculos y dificultades, sino que no les permitieron tomar decisiones ni descubrir por sí mismos nuevas estrategias.

Hay chicos tímidos e inseguros, temerosos de lo que piensen o digan los demás, porque se han contagiado de la timidez e inseguridad de sus padres; pero hay otro tipo de tímidos que lo son porque sus padres les han superprotegido, no han querido que salieran a la calle a jugar con los demás niños por el «peligro» que ello suponía, les han impedido desarrollar habilidades y destrezas sociales, y han llegado a la adolescencia y a la juventud marcados por el miedo, las fobias y las neurosis de todo tipo. Los hijos se van haciendo fuertes y seguros en la palestra de la vida cotidiana, superando las dificultades y los problemas que son propios de su edad.

Recuerdo a propósito a Ismael, un chico de 16 años que me trajeron sus padres a consulta hace algún tiempo.

> Ellos se quejaban de que no salía con sus amigos, que tenía miedo a hablar con la gente de su edad y que lo estaba pasando fatal en el colegio porque se sentía un bicho raro.
>
> Después de tranquilizarle y contarle que yo también había sido un chico un poco tímido y que este problema se supera si uno se lo propone de verdad, Ismael se sintió confiado y, aunque estaban presentes sus padres, me dijo entre sollozos:
>
> —Pero lo mío es más grave, yo soy un desgraciado, ¿sabe? Soy un desgraciado porque mis padres con tanto quererme me han convertido en un idiota que se caga en cuanto tiene que estar dos minutos con chavales de su edad. Desde muy pequeñito no he oído otras frases que éstas: «Los niños son muy malos, tú en tu casita con papá y mamá, para que no te hagan daño.» «Ten cuidado con esto, con lo otro, no salgas, no digas, no hagas»... Me han metido el miedo en el cuerpo cada día y a cada hora, y aquí me tiene.
>
> —Sé cómo te sientes —le dije—, pero esa rabia contenida que te ha hecho explotar y hasta llorar es la muestra más clara de que esto lo vas a superar sin el menor género de dudas. Eres tan inteligente que estás haciendo el mejor análisis de tu situación, estás empezando a ser psicólogo de ti mismo. Ahora ya sabes qué es lo que te pasa y también por qué te pasa, dónde está la causa de tu mal. Mi trabajo sólo consistirá en ayudarte a encontrar una solución, ayudarte en lo que debes hacer para ir venciendo gradualmente esa fobia social producida por el proteccionismo de tus padres. Ellos se han comportado así con la mejor intención, pero cometieron un error que ahora reconocen y vamos a corregir.
>
> A partir de este momento, Ismael no deseaba otra cosa que saber qué es lo que debía hacer para convertirse en un joven normal, alegre, comunicativo y seguro de sí mismo, capaz de compartir todo tipo de experiencias con gente de su edad sin sentir an-

siedad ni temor. Al principio del tratamiento intenté demostrarle que él no era la única persona con fobia social. Para ello le puse en contacto con una chica que hacía un año que la había superado. Ella le contó su historia: cómo había empezado por contactar con personas con su mismo problema, cómo más tarde se había apuntado con su hermana en una academia de baile, cómo yo le había exigido que fuera escribiendo un cuaderno de chistes y anécdotas divertidas para contarlos en familia y después en pequeños círculos de amigos...

En apenas unos meses, Ismael ya era otra persona. Pensaba en estudiar Psicología para poder ayudar a cuantos lo pasaban mal con sus miedos, sus neuras, sus angustias y su inseguridad. Tres años después me fue a ver a la Feria del Libro de Madrid y me dijo:

—Quiero que me dedique su libro *Aprendo a vivir*, porque lo estoy trabajando y ya me siento un poco psicólogo. Al final, después de todo, decidí estudiar Informática, ¿cómo lo ve?

—¡Estupendo! —le contesté—. Serás un buen informático que ejercerá de psicólogo cuando alguien lo necesite...

Nos reímos juntos, él se fue feliz y yo hoy, al recordar esta historia, me siento agradecido a esta profesión que tanto puede ayudar.

Hace algún tiempo leí un artículo de un conocido y afamado filósofo en el que se criticaba y se descalificaba a los psicólogos. Un buen filósofo debería saber, cuando menos, que las generalizaciones son estúpidas y que la fama no concede la prerrogativa de estar en posesión de la verdad. Si yo no hubiera logrado en mi vida profesional otra cosa que haber contribuido a que Ismael sea hoy un joven más seguro de sí mismo, más fuerte y con ganas de vivir, ya me daría por muy satisfecho. Mis conocimientos me ayudan a ayudar y eso es lo que importa.

En conclusión, no tutelemos en exceso a nuestros hijos y dejémosles utilizar su libertad, tomar sus decisiones, equivocarse y que sean capaces de buscar soluciones. Cuanto antes dejemos la «pelota» en su tejado, cuanto antes aprendan a «mojarse» y a sopesar los pros y las contras, antes serán personas adultas de verdad.

14. No adoptes las mismas actitudes infantiles o adolescentes de tus hijos

Educar a un niño no es hacerle comprender algo que no sabía, sino hacer de él alguien que no existía.

John Ruskin

¿Cuáles son esas actitudes infantiles e inmaduras que adoptan niños y adolescentes? El chantaje emocional, las amenazas, el hacerse la víctima, el recurrir a llantinas o explosiones de cólera, la descalificación... No pocas veces los padres, al no saber cómo cambiar o controlar las conductas no deseadas de sus hijos, se ponen en su mismo nivel de inmadurez psíquica y de pérdida de control.

¿Le resulta conocido el siguiente diálogo?

Hija: —Te gusta fastidiarme y amargarme el día, mamá. ¿Por qué no puedo ir a pasar el fin de semana con mi amiga?

Madre: —¿Amargarte yo? Tú sí que me tienes amargada desde hace mucho tiempo. De niña eras un encanto, pero ahora no hay quien te soporte.

Hija: —Eres tú la que has cambiado, no yo. Tú eres la que no hace nada más que protestar por todo y quejarte, y hasta papá no sabe qué hacer.

Madre (lloriqueando): —¿Ahora me culpas a mí de las amarguras de tu padre? ¿Quieres decir que yo estoy loca? ¡Dios mío, qué cruz me has mandado soportar!

Hija: —Claro, ahora te pones a llorar y te haces la víctima. Así es como consigues que papá se preocupe y haga lo que quieras, pero a mí no me engañas.

Madre: —¿Eso es lo que piensas de mí? ¿Tan hipócrita y perversa me consideras? No tengo ganas de nada, ni de vivir ni de seguir aguantando que mi propia hija me insulte y desprecie. Vete con tu amiga de fin de semana; como si te vas para toda la vida. ¡Pero déjame en paz!

Tras los gritos de la madre, la hija se encierra en su habitación dando un portazo y refunfuñando: «Yo sí que me siento desgraciada y estúpida en esta casa en la que todo se convierte en problema. Tengo que escapar de este infierno como sea, a ver si a mí también vosotros me dejáis en paz.»

Es éste un ejemplo de lo que *nunca* debe hacer un educador inteligente: demostrar tanta o más inmadurez o falta de control que su hijo adolescente. Ciertamente, una de las estrategias antes explicadas era no tener el menor reparo en mostrar nuestra fragilidad, nuestros defectos y nuestros errores, pero eso no implica que no debamos mantener una actitud de serenidad, un mínimo de calma, en las discusiones con los hijos.

El educador inteligente, aunque es consciente de sus defectos y sabe que no es perfecto, tiene muy claro que no se le puede ir de las manos una situación crítica. Cuando su hijo le insulta, le descalifica o le amenaza, nada es tan improcedente como ponerse a su altura y contribuir a que todo empeore. Es absolutamente necesario salirse de esa situación, contemplarla como un espectador, no entrar en el juego de gritos o amenazas, abandonar el campo de batalla de ese diálogo de sordos y decir:

«No seguimos más por este camino. Estamos perdiendo el control de nuestras palabras. Tendremos después un momento de calma y hablaremos, pero con respeto.» Si el padre o la madre deciden cortar de inmediato ese estado de tensión, la situación empieza a arreglarse, porque «cuando uno no quiere dos no riñen».

Es ésta la fórmula que siempre funciona cuando el otro —hijo, amigo, empleado o jefe— pierde el control. Si se ha entrado en una dinámica de modales groseros, descalificaciones e insultos, la persona inteligente ha de dominar la situación y controlar al agresor.

Una escena de la vida real

> Marina tiene 17 años y siempre ha sido una estudiante brillante. El verano pasado se echó novio, un chico de 22 años que conoció en el bar donde desayunaban todos los días. A raíz de ese noviazgo han llegado por primera vez los suspensos. Marina no respeta los horarios y se enfrenta a todos, pero especialmente a su madre, a quien insulta —llamándola «rancia beata», «Doña Perfecta, tan santa como insoportable»— y amenaza con irse de casa. Ha perdido por completo el control de sí misma y no quiere reflexionar sobre las causas de su fracaso escolar.
>
> En una de las tantas discusiones, su madre le dice:
>
> —Hija, sé que en estos momentos estás muy nerviosa; te tiemblan no solamente las manos, sino todo el cuerpo y has perdido el control de ti misma, cuando tú siempre sabes dominarte. Te aseguro que sé muy bien cómo te sientes, porque he estado en ese estado varias veces. Seguramente no te das cuenta, pero llevas un rato insultándome y despreciándome, aunque yo sé que eres buena y noble, y que dentro de unas horas o de unos días desearás no haber dicho lo que has dicho. Sé que son tus nervios, tu estado de ansiedad quienes me insultan, pero no tú. Conozco muy

> bien cómo se siente uno tras decir barbaridades a otra persona. Más de una vez yo me he arrepentido de ello y he aprendido que lo más adecuado es no seguir con los ánimos encrespados, sino dejar las cosas sin más. Como te quiero mucho, hija, no quiero seguir hablando más en estas circunstancias. Cuando se nos pasen los nervios y estemos tranquilas, hablaremos sobre este u otro asunto.

La madre, el padre o quien decida inteligentemente no seguir por ese camino que sólo lleva a empeorar las cosas, ha de retirarse del campo de batalla y no caer en la trampa de responder a nada, aunque la otra persona arremeta con toda su furia y destemplanza.

¿Por qué se debe actuar así?

Por simple sentido común. Cuando dos personas no dominan la situación, sino que la situación las domina a ellas, cuando los nervios y las emociones están desatados, no hay mejor salida que abandonar, marcharse aunque el otro nos despida con una lluvia de insultos, descalificaciones y amenazas. Pero para ello hace falta tener un buen control de sí mismo y no poca madurez. Esta actitud, este ejemplo de autocontrol y firmeza, contribuirá sin duda a que nuestros hijos aprendan y con el tiempo puedan también actuar así.

Como bien dice John Ruskin, educar a un niño es mucho más que hacerle comprender algo que no sabía; es hacer de él alguien que no existía, una persona mejor, más dueña de sí y de sus actos, más capacitada para actuar de forma inteligente en futuras ocasiones.

CÓMO LEVANTAR EL ÁNIMO, MANTENER MAYOR AUTOCONTROL Y POTENCIAR LA SALUD FÍSICA Y MENTAL. EL SENTIDO DEL HUMOR

— El humor es el mejor antídoto contra el descontrol, la tendencia a dramatizar y a convertirlo todo en un problema. Mantiene alto el tono psíquico y evita los estados depresivos.

— En situaciones críticas, incluso dramáticas, ayuda a mantener la calma, a bajar la presión arterial y a aumentar las endorfinas y las defensas.

— Saber reírse de uno mismo, contar chistes y anécdotas graciosas y divertidas, contribuye a que desviemos la atención de la preocupación o del foco doloroso, a distanciarnos de los hechos mentalmente y a verlos desde una perspectiva más positiva y esperanzadora.

— El buen humor es contagioso, como lo es el pesimismo y la preocupación; busca y fomenta las relaciones con personas muy positivas y alegres.

— Disfruta de lo cotidiano. Todo es más fácil para quien sabe sonreír.

— Una persona que ante las agresiones, insultos y descalificaciones siempre aplica la ley del «ojo por ojo» y las devuelve, tiene una respuesta primaria, claramente reactiva, más cercana al mundo animal. El sentido del humor sólo es posible si se está en posesión de una inteligencia superior.

— Otra persona que tiene cierto control y algunas veces se inhibe y no agrede, demuestra una maduración psicológica en estado inicial, con algo de proactividad, autocontrol y empatía. Demuestra, en definitiva, más inteligencia.

— Una tercera persona, capaz de distanciarse de la agresión recibida, que no reacciona de forma impulsiva y automática, y que trata de llegar a las causas, al porqué de la agresión, demuestra estar en un estadio de madurez y de inteligencia superior; se sitúa por encima del bien y del mal y nunca se ofende, porque el sentido del humor le permite relativizar las cosas. Esta persona, con dominio de sí y de las circunstancias, sería verdaderamente proactiva. Se distancia de la agresión recibida y no reacciona de forma impulsiva y automática. Sabe trasladar su furia de las vísceras a la mente, del nivel emocional al intelectual.

— Según las últimas investigaciones, siempre que nos sintamos dominados por la ira deberíamos hacernos las siguientes preguntas para «enfriarnos» y canalizar el enfado:

1. ¿Es muy importante este asunto, tanto como para llevarme al deplorable estado en que me encuentro?
2. ¿Hay motivos fuertes, de peso y verdaderamente serios que justifiquen mi enfado, mi estado anímico?
3. ¿Puedo cambiar esta situación? ¿Puedo cambiar a quien me exaspera y provoca el enfado?
4. ¿Merece la pena hacer algo? ¿Qué ganaría con esta medida?

— Si respondes negativamente a alguna de estas preguntas, está claro que debes olvidarte de tu cólera y pasar a otra cosa.

— Si respondes afirmativamente a todas o a alguna de las preguntas, toma una decisión, haz un plan de acción y llévalo a la práctica.

— Observación: El simple hecho de hacerse preguntas, de reflexionar sobre tu propio enfado, te ayudará a serenarte y a canalizar la ira desde el terreno incontrolado y automático de lo emocional a la esfera del intelecto, de la reflexión y de la cordura.

Educar con sentido del humor y sin perder el sentido del humor

El buen humor ha de ser una constante en la tarea educativa. Un recurso que siempre debe tener a mano el educador inteligente. Nada contribuye tanto a lograr la propia serenidad, el propio equilibrio, que mantener el buen humor y no perder jamás el sentido del humor.

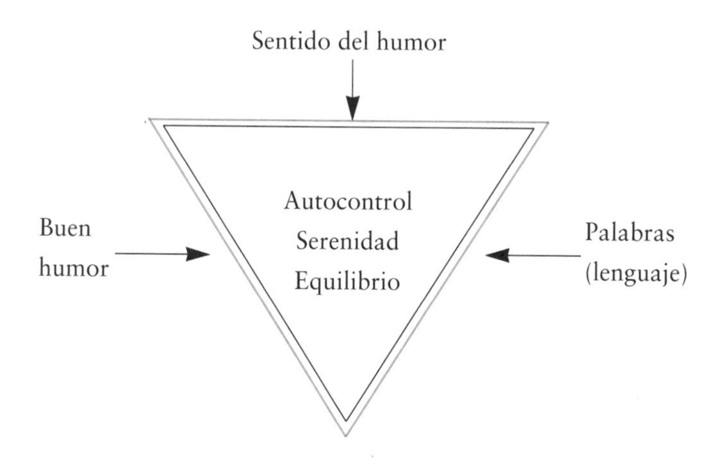

15. Empieza a educar inteligentemente desde la cuna

La verdadera educación de un hombre comienza varias generaciones atrás.

Eleuterio Manero

El carácter y los hábitos —positivos o negativos— se forjan desde la más tierna infancia. Y el futuro del individuo y de la sociedad en que se integra dependerá de la educación recibida. Una persona bien educada se convertirá en un bien para sí misma y para los demás, porque el bien se propaga, se expande, genera un bien mayor. ¿Quién duda hoy de que la mayoría de los millones de actos delictivos que se cometen en el mundo tienen como causa más o menos directa una mala educación? ¿Y qué decir del alcoholismo, la drogadicción y muchos de los trastornos psicológicos? Si los gobiernos de todos los países fueran verdaderamente conscientes de la trascendental importancia de la educación, seguramente aumentarían con creces las inversiones en esta materia.

El objetivo de este libro no es otro que contribuir de forma sencilla, práctica y eficaz a que proliferen los educadores inteligentes, capaces de descubrir y alentar lo mejor de cada educando. Pero, ¿cuándo comienza la educación inteligente? Sin la menor duda, desde la cuna, desde la primera sonrisa, el primer beso, la primera caricia que un niño recibe de su padre y de su madre. Es más: la educación inteligente de todo ser humano, como afirma Eleuterio Manero, comienza «varias generaciones atrás». Nuestros esfuerzos, nuestras buenas acciones de hoy, lo mismo que nuestra desidia nuestros actos reprobables, en alguna medida predeterminan el carácter y la conducta de nuestros futuros nietos y tataranietos.

Quien trabaja y se esfuerza por mejorar y educarse a sí mismo influirá en la educación que reciban sus hijos y sus alumnos, si es profesor. Recuerdo mis primeros años de sacrificio, la lectura de numerosos libros de autoayuda, en mi etapa adolescente, sobre la formación de la personalidad y el carácter, el gobierno de uno mismo, la timidez... Lo que aprendí de mis padres, lo que me enseñaron mis maestros, la huella positiva que me dejó alguno de ellos, las lecciones que me ha dado el sufrimiento, la pérdida de seres queridos, los enemigos que han surgido por razones de envidia, los vacíos incomprensibles, el afecto y el apoyo de tantas personas sencillas e incondicionales. Todo ello me ha capacitado para escribir libros sobre psicología práctica y educación, valores humanos y técnicas de trabajo intelectual, con la ilusión de poder aportar algo a alguien que lo necesite.

Mi mensaje a los jóvenes busca inculcarles la idea de servicio a los demás, de contribución al bien de tantas personas que demandan educación, comprensión, afecto; sentir que importan a sus semejantes, que este mundo también está habitado por gente comprometida y con corazón. Cualquiera que no descuida su propia formación humana, se está preparando como futuro educador inteligente, o mejor, como aprendiz aventajado, ya que en esta materia, a lo más que llegamos es a ser aprendices de educador.

La educación inteligente, insisto, empieza en la primera infancia. Casi todos los principios que se ofrecen en este libro tienen su aplicación desde el mismo instante de nacer. El amor incondicional al bebé, las palabras que decimos al adolescente o la fe en su capacidad serán decisivas para acompañar a nuestro hijo en la edad y la etapa evolutiva correspondiente. Sin embargo, algunas claves de la educación inteligente sólo son aplicables a partir de cierto momento, como el permitir que sufran las consecuencias de sus errores o mostrarles nuestra fragilidad.

CÓMO TRATAR A LOS HIJOS MÁS PEQUEÑOS

— Diles siempre cuánto les quieres, valoras y confías en ellos.

* * *

— Felicítalos por pensar por sí mismos, tomar decisiones y hacer cosas sin ayuda.

* * *

— Reconóceles en público sus habilidades, logros y esfuerzos.

* * *

— Ponte en su lugar y háblales de tus propios años de niñez.

* * *

— Procura que aprendan de manera divertida y distráeles mientras les enseñas.

* * *

— Imponles límites claros y concretos, no les concedas caprichos y enséñales a cuidarse y a distinguir lo bueno de lo malo, lo importante de lo accesorio.

No debemos olvidar que en los primeros años el niño logra un extraordinario desarrollo en las áreas evolutivas básicas: psicomotricidad, pensamiento, lenguaje y sociabilidad. Y para que ello sea posible, lo importante es que se sienta muy seguro afectivamente.

El niño que respeta la hora de acostarse, que aprende a esperar su turno, a comportarse, que sabe pensar en los demás, que evita los términos soeces y chabacanos, seguro que pasará de la niñez a la adolescencia con un bagaje educativo bien distinto al de aquél cuyos padres le han dejado a su libre albedrío o le han reprimido con una educación demasiado estricta. En definitiva, el educador inteligente lo es hasta el punto de que ya en la infancia de su hijo prevé la repercusión que sus normas tendrán en la adolescencia, la juventud y la madurez.

Como en todo en esta vida, siempre es mejor prevenir que curar. Resulta más fácil y aconsejable empezar a tiempo una educación inteligente que tratar de corregir cuando ya está hecho el mal. Esto es lo ideal, pero ¿qué podemos hacer cuando no hemos educado en la forma adecuada y somos conscientes de que nos hemos equivocado? Éste será el tema del próximo apartado.

16. No dudes en reconocer los errores cometidos si es que has fallado como educador

La vida debe ser una incesante educación.

Gustave Flaubert

Si nos encontramos con un hijo en plena adolescencia o juventud que sólo sigue la línea del menor esfuerzo, que no tiene otra norma de conducta que hacer lo que le apetece, que es un cómodo, que no ayuda en casa y por añadidura no quiere estudiar ni trabajar, lo más probable es que le hayamos educado erróneamente. Es decir, que le hayamos permitido todo, que no le hayamos entrenado gradualmente en la superación de las dificultades ni en la autodisciplina y el esfuerzo; que se encuentre anclado en el principio del placer y no haya accedido al principio del deber. Como su voluntad es débil, todo le parece una obra romana, lo cual le desanima y le hace perder el control. Y como es consciente de su debilidad psíquica, trina contra sus padres y los maltrata psicológica y físicamente.

No pocos padres, pésimos educadores, pero que con la mejor voluntad han criado a sus hijos con mimos y caprichos, reciben el peor trato de sus retoños, convertidos en implacables tiranos que les amargan su vida de madurez y, mucho peor, de su vejez. Su tremendo error fue pensar que querer bien a un hijo es educarlo concediéndole todo lo que pide, sin ningún esfuerzo por su parte.

El ser humano es dinámico. Vive en permanente estado de superación de dificultades y logro de objetivos. Quererle, por tanto, es prepararle para ser fuerte y decidido, para que desarrolle su propia autonomía; es permitirle que venza todas las dificultades que pueda por sí mismo, con algo de ayuda de nuestra parte pero sólo cuando sea completamente necesario.

Ante un hijo de 12, 14 o 16 años al que no hemos sabido educar, no nos queda otro remedio que empezar por acusarnos a nosotros mismos y reconocerle nuestros errores: «Te cuesta tanto enfrentarte a las dificultades, tener fuerza de voluntad y conseguir lo que te propones, porque nosotros no sabíamos que era tan importante que te enfrentaras a los problemas ya desde pequeño. Lo hemos hecho mal, no te hemos educado bien en este sentido, pensando, porque te queremos muchísimo, que al librarte de responsabilidades y problemas te hacíamos un bien. Creíamos que, a medida que te fueras haciendo mayor, tu fuerza de voluntad, autodisciplina y capacidad de esfuerzo crecerían como ha crecido tu cuerpo, pero no es así. La capacidad de superar los problemas sólo se logra con el ejercicio diario de hacer lo que se debe. Cuando tú te negabas a estudiar, a recoger tus cosas o a ordenar tu habitación, nosotros lo hacíamos por ti para evitar que te enfadaras. Así, tú no te ejercitabas en hacer lo que debías. Fuimos blandos, te lo consentimos casi todo y ahora, todos, tú y nosotros, tenemos un problema que resolver. ¿Cómo? Haciendo poco a poco lo que debimos hacer y no hicimos.»

Sería estúpido ocultar la realidad del problema. Conviene analizarlo en toda su crudeza y, en muchas ocasiones, incluso recurrir a una persona experta y cercana a la familia que pueda actuar de mediador.

Programa de intervención educativa

1. Definir la situación, el problema, y que los padres reconozcan que se equivocaron. Ante un error, no hay otra salida que la rectificación. De la noche a la mañana, un adolescente o un joven sin autodisciplina, sin experiencia personal en la superación de dificultades, no puede cambiar. Debe hacerlo de manera gradual y empezar lo antes posible.

2. Contar con un experto que ilustre y aconseje a los padres sobre lo que deben hacer. Les diseñará un programa de trabajo, de estudio, de actitudes y de esfuerzo que no entrañe excesiva dificultad. A continuación se pedirá al propio adolescente que dé su opinión y apruebe tal sistema o corrija lo que crea nece-

sario. Es muy importante que tome parte activa en la elaboración de este plan que él mismo deberá cumplir.

3. Acordar la tutela del experto en las primeras semanas de esfuerzo y autodisciplina por parte del joven inmaduro. Los padres deben ir aplicando gradualmente los principios que se les indiquen, estando cada vez más presentes en la tarea educativa, aunque orientados por el psicólogo de familia al menos durante tres o cuatro meses.

En este tiempo, su hijo habrá aprendido que nada es gratis si de verdad es valioso y nos prepara para la vida; que todo cuesta tiempo, esfuerzo y dedicación tenaz y entusiasmada, y que desde ahora debe ser él, sin necesidad de que alguien se lo diga, quien se entregue de lleno a la conquista de sí mismo.

Los padres, por su parte, recordarán que:

— Su hijo es capaz, pueden confiar en él y sentirse orgullosos de los avances en su formación.

— Han de darle ejemplo de autocontrol, equilibrio y paciencia, para que vea que también ellos se esfuerzan y sacrifican.

— No pueden caer en la tentación de asistirle en sus debilidades y volver a hacer las cosas por él. Cada palo tiene que aguantar la vela de su propia responsabilidad.

— No deben ocultar sus propios fallos y errores. Conviene que su hijo no los perciba como semidioses, sino como personas de carne y hueso que se fatigan, se cansan y tienen momentos de desánimo que saben superar.

— Han de enseñarle a darse un buen trato a sí mismo, a perdonarse los fallos y corregirlos sobre la marcha sin perder el tiempo en lamentaciones.

— Es bueno animarle y decirle a menudo que se está superando, que el error educativo cometido durante años se va a

CÓMO CONTROLAR EL «FRAGOR DE LA BRONCA» CUANDO YA SE DISPARÓ LA ADRENALINA Y NADIE RESPONDE DE SÍ MISMO

Da igual que la «tormenta» se haya desencadenado entre marido y mujer, padres e hijos o entre hermanos. En definitiva, se trata de seres humanos dominados por la ira, incapaces de serenarse y de razonar, de considerar el punto de vista del otro y de mantener un mínimo control sobre sí mismos.

— *¿Qué hacer en tales casos?* Quien esté más sereno, aunque sienta en su interior una furia contenida, debe realizar un esfuerzo extremo por hacerse cargo de la situación.

— *¿Cómo hacerse cargo de una situación descontrolada?* Lo mejor es abandonar, decir que no estamos en situación de ser mínimamente objetivos, que no podemos razonar y que es preferible posponer la discusión para cuando estemos serenos y lúcidos. Es probable que la persona inteligente que toma esta decisión sea atacada y tildada de cobarde, pero en ningún caso debe responder a la provocación del otro que anda como nave a la deriva. Sin esperar un instante, tiene que desaparecer de la escena y esperar el tiempo necesario (horas, días) hasta que la cordura haya vuelto y el problema en discusión se enfoque desde otra perspectiva más razonable y desapasionada. No olvidemos que a la tempestad siempre sigue la calma.

— A veces, el daño psicológico que mutuamente se han hecho las personas que discuten no es tanto ni tan grave y es posible no aplazar la discusión. Entonces surge el «experto» en manejar las «broncas». ¿Cómo actúa?

* Mantiene su semblante sereno y en actitud comprensiva, por más descalificaciones e insultos que reciba y por amenazadoras y violentas que sean las expresiones del contrario. No atiza el fuego, sino que lo enfría.

* Deja que el otro escupa toda su rabia, su dolor y su veneno, y espera que vayan disminuyendo la rabia y el enfado. El otro pronto dejará de sentirse atacado e irá recobrando la calma, hasta envainar su furia.

* Se muestra atento y escucha sin emitir juicios, procura ser empático y entender cómo se siente la persona descontrolada, hasta que éste accede a la fase de laxitud y de silencio.

* Cuando ya está seguro de que el incontrolado ha dicho todo lo que necesitaba decir y ha recuperado la cordura, es el momento de decirle con voz calmada y expresión controlada: «Sé cómo te sientes y estoy seguro de que podremos abordar este tema, desde una perspectiva más comprensiva de mi parte, en otro momento.»

* Impone la distancia física entre las partes. Cada uno debe tomarse su tiempo para reponer fuerzas, serenarse y preparar bien la próxima discusión.

subsanar gracias a su buena voluntad, a su tesón y a lo inteligente que es.

«¿Cómo controlar mi propio descontrol?»

> Me viene a consulta Cándida, una madre y profesora en ejercicio, dinámica, activa y enérgica, pura bondad, que reconoce no saber cómo controlar su propio descontrol:
>
> —¿Cómo puedo llegar a enfurecerme con mis propios hijos que son todavía pequeños y adorables? Son muy listos, ¿sabes? Veo que disfrutan cuando logran ponerme fuera de mí, excitada como ellos. No soy ni buena madre ni buena persona, porque hay momentos en que los odio y les pego, y descargo mi rabia contra ellos por frustración, al ver que nada puedo hacer por mejorar su conducta. Después de darles un azote, un grito o insultarles, me siento mucho peor.
>
> —Lo primero es que pienses que eres una madre normal, porque la mayoría de los padres, en algún momento de su vida, han sentido lo mismo que tú. Tus hijos también son normales, por más que te saquen de quicio. Lo que sucede es que, siendo una madre normal, no has intervenido de forma inteligente en estas ocasiones.

Mis recomendaciones a Cándida fueron las que expongo a continuación. Están orientadas al enfrentamiento entre padres e hijos, pero tienen idéntica aplicación en el caso de un enfado entre marido y mujer.

- *Primero.* ¿Estás enfadada? Pues no lo disimules ni lo ocultes. Debes mostrar tu enfado pero sin dañar en lo posible a la persona que te lo produce, en este caso tu propio hijo. Recuerda la importancia de lo que dices y cómo lo dices: las palabras que utilizas, como sabes, hieren o curan, alientan o desalientan, incitan a colaborar o a mostrar rechazo. Por tanto, cuida tu lenguaje y expresa tus sentimientos de forma breve y firme, sin descalificar a tu hijo. Por ejemplo: «Estoy muy enfadada por como he encontrado tu cuarto, así que espero que lo ordenes. Puedes y sabes hacerlo.»

- *Segundo*. Si estás muy alterada, no te fíes de ti misma y abandona el lugar, la escena de la refriega. Tómate unos minutos, quizás media hora, y cuando hayas repuesto fuerzas y estés más calmada, vuelve a hablar con tu hijo, pero con el ánimo de encontrar un punto de acuerdo, de reaccionar positivamente.
- *Tercero*. Reconoce lo poco o mucho que tu hijo haya hecho para corregir su error, su buena voluntad. Déjale claro que sabes que quiere mejorar y que tienes confianza en sus buenos propósitos.
- *Cuarto*. Cambia de gesto, de tono y de actitud, y procura que tu bondad, tu amor y tu mejor sonrisa se dibujen en tu rostro. Es importante que los enfados sean pasajeros y terminen en una reconciliación. No es cuestión de irse a dormir con rencor y distancia entre tú y tu hijo.

17. Da a cada hijo o educando su tiempo e importancia como individuo, como persona única e irrepetible

Todo lo que oprime la individualidad es despotismo, cualquiera que sea el nombre que le demos.

J. S. Mill

Cuántos problemas de baja autoestima, celos, inseguridad y falta de confianza en uno mismo se solucionarían si en nuestros años de infancia y adolescencia contáramos con unos padres y profesores convencidos de que no somos un número, sino que somos Pedro, mamá, Carlos, Bernabé, Josefina, Rosa, Andrés... En definitiva, seres humanos únicos e irrepetibles.

La individualidad, lo que nos hace distintos a todos los demás, con toda su variedad y riqueza, debe ser valorada, alentada, potenciada y admirada por el educador inteligente. Toda criatura humana, desde el momento en que es capaz de comprender, necesita sentir que se la respeta, valora y estima como ser distinto, como un gran valor, y que eso que tiene de particular e irrepetible lo debe aportar en beneficio de los demás.

Para descubrir y alentar la maravilla de la individualidad nada más eficaz que saber reservar un rato, un tiempo para tu hijo o alumno, para él solo, sin compartirlo con los demás. El educando necesita tener la sensación y la convicción de que apreciamos su diferencia, su personalidad.

Veamos la siguiente historia:

> Héctor era el menor de cuatro hermanos, «el pequeño», y no llevaba bien que, por serlo, nunca contaran con él ni sus padres ni sus hermanos de 14, 16 y 17 años. Todos tomaban decisiones, opinaban y tenían un peso específico en la familia, pero Héctor pasaba desapercibido. Sus padres lo trajeron a consulta porque había adoptado una actitud displicente y distante; hablaba sólo con monosílabos y, por más que le preguntaban si le pasaba algo, él se cerraba en un mutismo incomprensible para el resto de la familia.
>
> Nada más entrar los tres en mi despacho, me di cuenta de que las relaciones entre ellos eran muy tirantes. Tomó la palabra su madre y, con tono amenazante, le dijo:
>
> —Te hemos traído a ver a este señor para que le digas a él lo que te pasa, ya que no te da la gana hablar con nosotros, ¡como eres tan cabezón!
>
> Yo sabía que «me la jugaba» en la respuesta que le diera y, sin esperar a que Héctor reaccionara, intervine:

—Señora, perdone, pero Héctor hablará conmigo sólo si él quiere. Es ya mayor y tiene que tomar su decisión. Además, le digo con todo mi respeto que no estoy de acuerdo con el calificativo que usted acaba de utilizar al llamarle «cabezón». Veo que es un chico fuerte, guapísimo y con una mirada llena de curiosidad. Me gustaría hablar a solas contigo, Héctor, si tú quieres; me interesa lo que quieras contarme. Tú mandas.

—Pues sí —contestó Héctor sintiéndose importante al ver que se le daba la opción de tomar una decisión por sí mismo.

Cuando estuve a solas con él le dije:

—Como hablo con tantas personas y también con bastantes niños como tú, sé que estás muy enfadado por algo que te ha sucedido con tus padres; te lo noto en los gestos, en la mirada, en todo. Yo también me enfadé una vez muchísimo con mi padre porque, aunque era muy bueno, mi madre le había calentado tanto la cabeza con mis fechorías que terminé cobrando. ¿Te apetece que te cuente mi historia de enfados cuando era niño?

Héctor estaba encantado de encontrarse ante alguien que hasta hace un momento era un desconocido, pero que le adivinaba su problema, ese que curiosamente él también había tenido en su niñez.

Después de contarle varias historias que me sirvieron para informarle de que los padres son buenos y quieren a los hijos, pero que también se equivocan, Héctor, sin yo pedírselo, me dijo:

—Bernabé, yo también tengo una historia. Si quiere se la cuento.

Y me contó que él ya sabía que era el más pequeño, pero que eso no debía significar que no contaran con él para nada. Por ejemplo, todos los años decidían entre todos el lugar de veraneo, pero a él nunca le preguntaban porque daban por supuesto que no sabía opinar sobre lugares de veraneo y así muchas cosas más. Presté el máximo de atención a su relato y le dije:

—Vamos a suponer que tú eres el director de una agencia de viajes y yo un cliente que te pide opinión sobre tres sitios de España para ir de vacaciones en verano: Santander (en el norte), Castellón (en el Levante) o Fuengirola (en Andalucía). ¿Sabrías decirme lo mejor de cada lugar para ir por primera vez o para repetir si ya has estado otras veces?

Quedé admirado de los detalles que Héctor pudo darme sobre lo positivo o no tan positivo de los lugares mencionados. Estaba ante un crío verdaderamente inteligente y con gran personalidad. Le dije que con lo jovencito que era y un poco de preparación podría convertirse en menos de dos años en un buen asesor turístico. Héctor estaba radiante, ilusionado; alguien había confiado en él, le había consultado y le había calificado de muy inteligente. Así que aproveché para continuar:

—Tus padres te quieren mucho y sé que son excelentes personas, pero no se han dado cuenta de todo lo que sabes. ¿Puedo pedirte un favor? Me tienes que dar la satisfacción de que veamos la cara que ponen tus padres cuando yo te diga ante ellos lo mismo que te he dicho a solas: que me aconsejes sobre las características de estos lugares de veraneo y las ventajas de ir a cada uno de ellos.

No puede imaginar el lector la fluidez verbal, la precisión y la contundencia de sus argumentos. Héctor respiraba euforia haciendo el papel de director de una agencia de viajes. Los padres comprendieron perfectamente por qué se sentía herido y ninguneado. Nadie había descubierto su capacidad para hablar, a tan corta edad, de muchos temas y, desde entonces, su opinión siempre fue tenida en cuenta.

Pasado un mes, Héctor volvió a consulta acompañado de sus padres y en el rato que hablé a solas con él me confesó que ahora, cuando había que tomar alguna decisión, le tenían en cuenta como a sus hermanos.

—¿Sabes dónde nos iremos de vacaciones? A Fuengirola, donde tú vas. Papá, mis hermanos Alfredo y María y yo sumamos cuatro votos contra tres de mamá, Chelo y Gregorio. Hemos ganado, pero aunque no hubiera sido así, lo importante es que contaban con mi voto. Otra cosa que me gusta mucho es que papá a menudo encuentra algún rato para estar conmigo a solas: paseamos en bicicleta cuando vamos al pueblo de mis abuelos y hacemos muchas otras cosas.

El atento lector ya habrá caído en la cuenta de que el pequeño Héctor nunca supo que yo había tenido con sus padres un par de consultas a solas. Les aconsejé que se olvidaran de la corta edad de Héctor a la hora de hacerle sentirse importante y de contar con su opinión, y que dejaran claro delante de sus hermanos que todas las posturas eran igual de interesantes, aunque unos dieran argumentos más convincentes que otros.

He tenido la oportunidad de seguir la evolución del pequeño Héctor, que ahora tiene 10 años, y puedo decirle al lector que el hecho de haberle reconocido y valorado como ser único e irrepetible, de haber potenciado su individualidad, ha sido determinante en su vida. La única carencia pedagógica que presentaba este crío era precisamente ésta: que se le tuviera en cuenta. Su rendimiento escolar, su conducta en casa, el trato con amigos y desconocidos, todo mejoró notablemente a partir de una intervención pedagógica inteligente.

Cualquier educador o profesor que pretenda formar a personas útiles a la sociedad, individuos generosos, entregados, comprometidos y felices, no debe olvidar este factor de la individualidad por dos motivos: primero, porque la educación integral como personas parte del desarrollo de este potencial, haciendo posible que lo mejor de cada uno como individuo, como persona, le beneficie a sí mismo y a los suyos; segundo, porque lo que tenemos de distintos es lo que mejor podemos aportar a la sociedad en que nos integramos; es la donación más rica y personal que reciben los demás. Científicos, literatos, investigadores, artistas, benefactores sociales, misioneros... todos dan lo mejor de sí de manera sacrificada y generosa, partiendo de su individualidad como fuente de energía para alumbrar su vida y para ser también faro de luz de pueblos y culturas.

18. No olvides escuchar atentamente, dialogar y ser empático para poder «leer» los sentimientos, las dudas y las preocupaciones del otro

El principio de la educación es educar con el ejemplo.

A. R. J. Turgot

La idea central de la educación inteligente no es otra que promover, alentar y potenciar la actitud de colaboración en el educando. Aburrirle o exasperarle con sermones, amenazas, chantajes o llantinas no conduce sino al enfrentamiento frontal, a que nos ignoren o a que se encierren en un mutismo y pasotismo crónico, dejándonos sin opción para intervenir adecuadamente. De ahí la importancia de este principio, que propicia la comunicación bilateral y el buen entendimiento entre emisor y receptor. En definitiva, para una educación inteligente es *conditio sine qua non* el respeto mutuo, las actitudes dialogantes, la escucha atenta para comprender el mensaje del otro sin prejuicios, el dejar hablar y expresarse con plena libertad y, por supuesto, la empatía que permite «leer» los sentimientos y preocupaciones.

Desde la más tierna edad, todo niño debe saber que *puede* y *debe* hablar con sus padres de cualquier tema que le interese, inquiete o preocupe. Son ellos quienes, de vez en cuando, deben comentar con sus hijos en familia algunos problemas de índole menor, tanto personales como profesionales, con el fin de que se acostumbren a ver como algo normal las preocupaciones, inquietudes, deseos o temores de los otros. A la pregunta «¿Cómo te ha ido en el trabajo?» que le hace su mujer al llegar a casa, el padre puede aprovechar la ocasión para explicar a sus hijos: «Como mamá sabe que me alivia comentar las cosas más interesantes y curiosas, buenas o malas, que me han ocurrido a lo largo del día, me pregunta por ello y también me habla de su trabajo y de sus cosas. Me gusta teneros informados porque, además, cuando uno comparte con los suyos sus inquietudes, sus proyectos, sus penas y sus alegrías, se encuentra mucho mejor. La opinión de las personas que a uno le quieren vale más que ninguna. Así que, ya sabéis: si nosotros os contamos nuestras cosas, estaremos encantados de que vosotros, si queréis, nos contéis las vuestras.»

Es evidente que si un niño percibe un clima de diálogo, de comunicación animada entre todos los miembros de la familia, de libertad para hablar sin miedo a reprimendas, no tendrá ningún temor en expresar lo que piensa y lo que siente ante sus padres y hermanos. Cuando un adolescente se encierra en su mundo y no habla a los suyos de sus sentimientos ni de su intimidad, casi siempre decimos que se debe al hermetismo que caracteriza este periodo y en parte es verdad. Sin embargo, yo he detectado a lo largo de mis muchos años de experiencia profesional que en el mutismo exagerado de un niño o de un adolescente suele haber algo más: miedo a hablar, a ser criticado y hasta castigado por los padres. Si sabes que lo que vas a preguntar o la información que vas a dar sobre tu conducta será criticado duramente, lo normal es que lo ocultes o que lo desfigures tanto que sea una auténtica mentira.

De todas formas, en el mutismo y la negativa a abrir el corazón a los padres, casi siempre encontramos una respuesta educativa errónea, como en el caso de Chelo:

> Se trata de una adolescente de 14 años que, con toda espontaneidad, le dijo un día a su madre que había llegado a clase un chico «macizorro» que no hacía más que mirarle las piernas. Como re-

acción a esa confidencia, a la madre no se le ocurrió mejor idea que darle un solemne bofetón acompañado del siguiente juicio moral recriminativo y lesivo para su dignidad: «No te da vergüenza, tan jovencita y ya tan indecente. Sólo una guarra se alegra de que un tío le mire sus piernas con lascivia.» La reacción de Chelo a partir de aquel día fue de total hermetismo. La pobre criatura llegó a pensar que era una viciosa, una depravada que provocaba a los hombres.

Cayó en una depresión y la trataron con psicofármacos, pero no la ayudaron demasiado. Finalmente la remitieron a un psicólogo y fue su madre quien la trajo a mi consulta. Cuando hablé a solas con Chelo, le dije: «Puedes contarme la verdad o callártela, pero quiero que sepas que no tengo la menor duda de que te ha hecho muchísimo daño una persona muy cercana a quien quieres mucho, y por eso te has quedado sin habla. Seguramente no tenía ni idea del mal que te estaba causando, pero lo ha hecho y esa herida psicológica que tú tienes se cura como una mía muy profunda que me hicieron con tan sólo un par de años más que tú. Te lo voy a contar para que veas que todos tenemos o hemos tenido problemas y que tienen solución.»

Al terminar mi relato, que tenía cierto paralelismo con la historia de Chelo, leí en sus ojos el deseo de hacerme partícipe de su dolor y de su rabia. «Mi madre me ha fallado y decepcionado, ya no puedo confiar en ella. No entiende nada y a mí me parece que estoy enferma desde que me dijo que soy peor que una fulana porque se me ocurrió contarle que un chico guapo sólo me miraba a mí. Yo tenía complejo de fea, pensaba que nunca le gustaría a nadie y, al notar la envidia de mis amigas porque el "macizorro" no apartaba sus ojos de mis piernas, me sentí tan feliz que, como una inconsciente, pensé que ella se alegraría. Ya ve usted cómo me trató. Más que el bofetón que me dio, lo que me dolió fue lo que pensó de mí: que era una fulana, una depravada. Sólo se lo he contado a una amiga que me ayuda bastante y que opina que mi madre "está p'allá".»

Hablé con la madre de Chelo, le di toda clase de argumentos y le pedí que se acordara de su etapa adolescente. Esta mujer, obsesionada con el tema de la sexualidad (ella sí que debía tener problemas), me dijo que yo le había decepcionado porque esperaba que yo reprendiera a su hija y que no entendía cómo había podido escribir unos libros tan estupendos sobre valores humanos. Confieso al lector mi rotundo fracaso con la madre de Chelo. Y bien que lo lamento.

¿Qué hace el profesional en un caso como éste?

Como a mí me importaba Chelo y su depresión, y como su madre se negaba a colaborar, buscamos en el entorno de la joven un adulto cercano, de su plena confianza, que pudiera hacer las veces de madre comprensiva. Por suerte, una hermana de su padre, profesora joven, aceptó y la acompañó a consulta unas cuatro o cinco veces. Fue suficiente para que Chelo entendiera que su madre era una persona con problemas aunque no lo aceptara y que ella tenía que hacer su vida, contar sus intimidades a su tía y a los amigos que la comprendieran y no empeñarse en nada más.

Son muchos los casos de hermetismo adolescente que tienen como causa principal la falta de tacto psicológico.

¿Cómo fomentar el diálogo y la escucha atenta en familia?

Ya he dicho que los padres deben predicar con el ejemplo y empezar ellos mismos por contar cosas de su trabajo, de su pasado, de sus experiencias... También es aconsejable que, si los hijos no preguntan sobre determinados temas que sabemos que son de interés, fomentemos conversaciones al respecto, ajustadas lógicamente a la edad de los mismos y a sus intereses.

En general, los temas de conversación han de ser variados y satisfacer necesidades afectivas, culturales y de la vida cotidiana del niño o adolescente: su propio cuerpo, el amor, el sexo, la naturaleza, la amistad, las relaciones humanas, los problemas sociales, la inmigración, la droga, el alcoholismo, las profesiones y oficios... A menudo pensamos que los hijos ya saben de todo y no es así. No debemos dar nada por supuesto. Los padres inteligentes no han de perder la ocasión de comentar asuntos de interés que están cada día en la televisión y en los periódicos, para formar e instar a los hijos a que aprendan a hablar en familia, a expresar lo que sienten, piensan y proyectan.

En definitiva, animarles a dialogar y darles confianza plena para que lo hagan; enseñarles a expresarse sin temor, a escuchar y a hacerse escuchar, a dejar claras sus opiniones pero sin descalificar a los demás. Nuestro ejemplo como personas dialogantes será el mejor referente.

19. No improvises, sino planifica y diseña previamente toda intervención educativa

Si domas un caballo a gritos, no esperes que obedezca cuando le hablas.

Dagobert A. Runes

Al iniciar este capítulo no tengo por menos que recordar las veces que he estado sentado frente al televisor escuchando los despropósitos que algunos famosillos invitados a los programas defienden como si fueran verdaderos expertos en el tema a tratar: la juventud, el alcoholismo, la drogadicción, los castigos, los celos, el fracaso escolar... Estos famosillos-comodín, que sirven lo mismo para un roto que para un descosido, suelen utilizar inapelables axiomas educativos; y sólo de vez en cuando tenemos la suerte de escuchar a algún profesor inteligente, bien preparado, o a un sociólogo eminente. Sobre todo en lo que se refiere a la educación, apenas contamos con la intervención de catedráticos en Pedagogía o Psicología, maestros y profesores experimentados. Si a ello se suma la escasa importancia que los gobiernos han dado en este país a la educación, no es de extrañar que la idea generalizada sea que no hace falta estar preparado y que en temas educativos se puede improvisar.

Cientos de licenciados en las distintas carreras han educado durante décadas a adolescentes y jóvenes sin tener la más remota idea de cómo son, de cuáles son sus problemas, de cómo hay que intervenir adecuadamente ante situaciones de falta de respeto, fracaso escolar, daño físico o psicológico a compañeros... Incluso, hasta hace relativamente poco tiempo, las guarderías eran regentadas por personas no tituladas y la «profesora», muchas veces, era una chica joven que cuidaba a los niños y los educaba a su aire.

La importancia de no improvisar

Por lo general, en los temas educativos se ha recurrido a medidas de urgencia, «a lo que salga», sin una reflexión previa y sin un plan eficaz bien diseñado por expertos para aplicar a continuación. No se suele improvisar en temas laborales, ni en temas de sanidad ni en tantos otros, pero sí se sigue haciendo en educación.

Llevo más de treinta años oyendo las quejas de profesores y de padres respecto al exceso de teoría y a la falta de libros que cuenten de una forma sencilla y práctica cómo se realiza una intervención pedagógicamente correcta y con buenos resultados. Nadie nos enseña a planificar lo que debemos hacer cuando surgen problemas más o menos graves y concretos con nuestros hijos y alumnos. Pero vayamos a ello.

Para planificar con detalle una *intervención pedagógica importante*, es preciso dar respuestas pertinentes a las preguntas que se ofrecen en los bloques a, b y c:

a) ¿Cómo voy a propiciar la colaboración, la buena voluntad y las ganas de cooperar, en lugar del negativismo, el rechazo o la dejación, dadas las características personales y las circunstancias que rodean a este educando en concreto?

b) ¿Qué problemas pueden surgir? ¿Qué actitudes puede adoptar? ¿Qué respuesta debo dar a esas posibles reacciones para llevarle a mi terreno y que acabe colaborando?

c) ¿Qué palabras, medidas, recursos y estrategias son útiles en este caso concreto para que tanto la autoestima como el sentimiento de competencia del joven salgan reforzados?

Cuando nos encontramos ante una intervención pedagógica importante porque el fracaso escolar se ha hecho crónico, las relaciones entre padres e hijos están deterioradas, los vínculos entre hermanos son inexistentes o se ha llegado a una situación de violencia física, el diseño que hagamos de tal intervención debe estar bien pensado y calibrado. Para un mejor entendimiento por parte del lector, lo explicaré tomando el ejemplo de un caso real:

> Llega a mi consulta una mujer de mediana edad pidiendo ayuda psicológica. Desde hace un año y medio, en que su esposo y su hijo de 18 años llegaron a las manos, se insultaron y se dijeron de todo, no han vuelto a cruzar una sola palabra. Ella sufre porque

> ha intentado por todos los medios a su alcance que se perdonen y lo olviden todo, pero no ha conseguido nada. El hijo dice que es el padre quien debe reconocer que no debió llamarle «inútil y maricón», razón que provocó su reacción violenta.

Partiendo de este problema, diseñemos la intervención adecuada tomando como base las respuestas que hay que dar a las preguntas antes enumeradas.

a) *¿Cómo propiciar la colaboración, la buena voluntad del padre y del hijo?*

Estamos ante dos personas orgullosas que esperan que sea el otro quien se humille. Para moverlos a colaborar debo apelar a su inteligencia. El más inteligente siempre es el más flexible, aquel que sabe ponerse por empatía en el lugar del otro y sentir lo que sintió.

Recibo en diferentes consultas al padre y al hijo. ¿Qué le digo al padre para que se baje de su pedestal de tozudez y orgullo?

Doy por hecho que es inteligente y buena persona, y que va a saber ponerse en el lugar de un joven a quien su propio padre le insulta a menudo llamándole «mariconazo inútil». Le digo: «Te comprendo como padre, sé cuál sería tu estado de tensión y de nervios, pero tú eres el padre, quien tiene en sus manos ser el mejor ejemplo para tu propio hijo. No es necesario que le pidas perdón; simplemente coméntale que jamás debió insultarte y llamarte lo que te llamó y reconócele tu mala reacción.»

Le cuento que yo mismo como educador he cometido muchos errores en mi vida y que seguramente los seguiré cometiendo, pero que reconocer al menos algo de culpa nos acerca a nuestros hijos y nos hace más asequibles y humanos. «Tu hijo sentirá admiración por ti y un gran respeto en el momento en que le digas: "Hijo, yo sé que actué mal, que te dije barbaridades porque estaba fuera de control. No era dueño de mí mismo y bien que lo lamento." Ante esta actitud madura e inteligente por tu parte, la reacción de tu hijo será de acercamiento y a su vez de reconocimiento.»

Y ¿qué le digo al hijo para que deponga su actitud intransigente y esté en disposición de reconocer parte de su culpa ante su padre?

Empiezo por decirle que sé cómo se siente y que entiendo el dolor que le han producido las palabras de su padre. Insisto lo suficiente en este punto porque necesita ser comprendido. A continuación le comento que también sé lo que duele ofender al propio padre, aunque es comprensible la reacción violenta en una persona que se siente herida y ofendida. «Tu padre está arrepentido de lo que dijo. Yo sé que eres un buen tío y alguien muy inteligente, porque tus padres así me lo han asegurado. Por ello te pido que me digas tú mismo qué fórmula emplearías, si estuvieras en mi lugar, para que os reconciliarais.» «Usted lo sabe —me contestó—, empezar cada uno por reconocer su parte de culpa.»

Llegados a este punto, creo que padre e hijo están en una disposición aceptable para reconciliarse, perdonarse y empezar de nuevo. Pero no hay que precipitarse. Pensemos, según el segundo bloque de preguntas:

b) *¿Qué problemas pueden surgir y cómo resolverlos?*

Era de esperar que todos los problemas surgieran si uno u otro pretendía el imposible de que el otro se reconociera como *úni-*

co culpable; por tanto, antes de que tuviera lugar el encuentro entre padre e hijo ante mí, me deben prometer firmemente que reconocerán sin dudarlo su propia culpabilidad y adoptarán posturas de acogida y de perdón.

Es necesario, además, planificar contactos y futuros encuentros en los que, bajo ningún concepto, salga a colación el pasado. Se trata de empezar de nuevo, con exquisito cuidado por ambas partes, buscando normalizar la convivencia. No hay que dejarles mucho tiempo solos al principio; mejor que estén acompañados de otros familiares y poco a poco vayan restableciendo una relación más espontánea y fluida.

c) *En cuanto a las palabras y recursos empleados para elevar la autoestima*

Para que ambos se sientan capaces de reencontrarse y hacerlo con éxito, me limito a decirles que confío en su inteligencia y en su gran corazón para librar todos los obstáculos; que estoy seguro de que demostrarán una conducta madura e inteligente.

Resultado

El reencuentro, efectivamente, fue un éxito. Poco a poco, ambos aprendieron a respetarse como personas y hoy se tienen un gran aprecio. El padre dice que admira la madurez que ha ido demostrando su hijo y éste a su vez reconoce que tiene un padre sensato, capaz de admitir sus errores, y que ahora sabe que puede consultarle casi todo.

20. No dejes de educarte, estar al día e incluso autoevaluarte con frecuencia. Todo educador inteligente se considera un aprendiz de educador

Bienaventurado el que comienza por educarse antes de dedicarse a perfeccionar a los demás.

Anónimo

En el capítulo que lleva por título «Consideraciones previas y requisitos para una educación inteligente», se ha tratado en profundidad la «puesta a punto» que exige todo tipo de intervención inteligente y que se desarrolla en cuatro tiempos: conocimiento de uno mismo, autocontrol, motivación y decisión-acción. Es evidente que nadie da lo que no tiene y quien pretenda ejercer como educador y ayudar a los demás a perfeccionarse no debe descuidar su propia educación y su perfeccionamiento constante.

La virtud por antonomasia en el verdadero educador es la sencillez, la humildad de reconocer que los educadores somos eternos aprendices. Nadie puede arrogarse tanta capacidad y experiencia educativa como para llegar a considerarse con propiedad un maestro. Digo esto con pleno convencimiento, y las personas más capaces y con más años de experiencia son las que demuestran más humildad. No podemos dejar de aprender, de estudiar al ser humano, de buscar nuevas estrategias para impulsarle a responsabilizarse de su propia formación.

Cuando piensas que sabes mucho sobre los niños y sus reacciones, o sobre los adolescentes, llega un crío de 5 años y te da una lección; te recuerda, por ejemplo, que él también es un niño, aunque sea el mayor de sus hermanos, y que necesita atención. Es el caso de Pepete (5 años), Francisco (4) y Raúl (2):

Estos tres preciosos niños son hijos de unos profesores murcianos, amigos míos y vecinos en los estupendos veranos que pasé en el Mar Menor. Hoy deben tener alrededor de veinte años.

Hace ya bastante tiempo, al volver de la playa un mediodía, me los encontré de camino haciendo piruetas como si fueran verdaderos acróbatas de un circo. Cogí a Raúl, el más pequeño, y lo levanté mientras él mantenía su cuerpo rígido como una tabla. Cuando lo dejé en el suelo, le comenté: «¡Qué fuerte y grande estás, cuánto pesas, un día de éstos ya no puedo contigo!» Enseguida se me acercó Francisco para que también lo levantara. Mostré mayor esfuerzo y fatiga y le dije: «Tú pareces de hierro. El próximo verano ya no podré auparte.» Entonces seguí mi camino y, cuando apenas había andado unos pasos, noté que con delicadeza, pero con insistencia, me daban unos golpecitos en el brazo. Vi que era el mayor de los hermanos, quien con voz entrecortada me dijo: «Bernabé, ¿tú crees que yo peso algo?» La respuesta inmediata de mi mujer fue: «¡Anda, psicólogo, aprende un poquito de psicología infantil!»

Reaccioné de inmediato, puse mis manos debajo de los codos de Pepete y tardé como un minuto en levantarlo, dándole toda la importancia a su peso. «Tú eres tan fuerte y pesas tanto que me has dejado sin fuerzas. Ya veo que eres el mayor y que cuidas muy bien de tus hermanos.» Me sonrió radiante; había recibido su necesaria dosis de importancia.

Yo, sin pretenderlo, acababa de ningunear a un crío de 5 años delante de sus hermanos menores, y ello había afectado a su autoestima.

Un educador puede cometer muchos errores y debe ser humilde para admitirlos y para corregirlos, como también debe serlo para recibir lecciones, pues cualquiera puede dárselas en cualquier momento. En educación no hay recetas mágicas, sino formas de intervención inteligente más acertadas cuando se tienen en cuenta todos los factores posibles. Con los años y la práctica, y valorando cada vez los resultados, se va adquiriendo cierta sabiduría y cierto arte para saber qué «tornillo educativo» es el que se debe apretar dadas las características concretas del educando.

Mi consejo es que padres y profesores estén atentos a las investigaciones que se realizan en el terreno psicopedagógico, sin renunciar a su humilde investigación personal en el quehacer diario. Grabar en una cinta o en un vídeo nuestras intervenciones educativas nos permite observarnos y analizar nuestras palabras, gestos, argumentos, etc., así como los efectos que producen en el educando. Un estudio detallado de varias actuaciones nos ayudará a corregir y mejorar muchas cosas a tiempo. Ello nos permitirá idear nuevas estrategias y medir los efectos a corto y medio plazo. Es muy aconsejable que este seguimiento sea lo suficientemente largo, durante un año o más, para comprobar la efectividad real de una intervención educativa en un sujeto concreto.

Por ejemplo, en el caso de un estudiante adolescente sin voluntad, sin autodisciplina y que nunca ha seguido un programa de trabajo en serio, las variables a aplicar serán las siguientes:

- Cada noche el padre revisará, con consentimiento de su hijo, las tareas que ha realizado por la tarde.
- Una vez por mes se celebrará una reunión entre el tutor, el padre y el alumno para cambiar impresiones e informar de los adelantos.
- El estudiante, sin que nadie se lo pida, hará un estricto seguimiento de sí mismo en aquellas asignaturas que lleva suspendidas, autoevaluándose después en cada una de estas variables:

— Atender en clase.
— Preguntar lo que no entiende.
— Hacer los deberes o tareas.

— Salir voluntario, participar.
— Automotivarse, sentirse a gusto.

¿Qué hacer cuando otros adultos dudan de la eficacia de nuestras estrategias?

No hay otra solución que demostrarles que mejora la conducta del niño o del adolescente, sin coacción, sin castigos, sin gritos, ni insultos ni descalificaciones, simplemente con medidas inteligentes que suscitan colaboración y buena voluntad en el educando. Sé que no es tarea fácil convencer a quienes llevan años de práctica educativa errónea y son reticentes a cualquier intervención, venga de donde venga. Pero mi obligación como psicopedagogo es orientarles en este sentido. Cuando observen que en muchos casos que se daban por perdidos se obtienen resultados relevantes, es probable que algunos de estos incrédulos recapaciten y decidan hacer suyas las técnicas de una intervención inteligente.

21. Educa y desarrolla las facultades intelectuales y morales, las costumbres

El verdadero objeto de la educación, como el de cualquier otra disciplina moral, es engendrar felicidad.

William Goldwing

El fin último de la educación debe ser que la persona tenga buenos modales, respete las normas de convivencia, desarrolle su vocación de hacer el bien y sepa vivir feliz.

En el libro *Saber educar*, que escribí con mi amigo, el profesor Antonio Escaja, hace casi diez años y que publicó esta misma editorial, puede encontrar el lector información más detallada sobre temas como el tipo de hombre que queremos educar o la educación como experiencia de los valores.

Si nos remontamos a la antigüedad, la tradición literaria nos habla de la terrible dureza con que los espartanos educaban a sus hijos: castigos que rayaban en la crueldad, marchas fatigosas hasta la extenuación, exigencias desmedidas, agotadores ejercicios de lucha... Así se forjaba el durísimo temple del «ciudadano soldado», tan necesario para consolidar la hegemonía.

Por su parte, la educación ateniense contrastaba con la espartana por su mayor equilibrio humano, cuyo principio era la flexible actitud democrática. Se buscaba modelar, mediante el cultivo de valores como el bien y la belleza, un ciudadano equilibrado física, mental y espiritualmente, capaz de participar en la vida social y de convivir con sus semejantes haciendo gala de un talante sereno y dialogante.

Ya en los siglos XVII-XVIII, vemos que el filósofo John Locke fundamenta la educación del *gentleman* inglés sobre el concepto de disciplina, entendida como una línea de comportamiento que se guía en todo momento por las estrictas leyes de la razón. La disciplina exterior crea las condiciones para que se desarrolle en el niño la disciplina interior, una voluntad firme orientada para la bondad y el bien. Del lado opuesto se sitúa Jean-Jacques Rousseau, que propugna un tipo de educación que permita al niño el desarrollo pleno de su personalidad mediante sus espontáneas manifestaciones, siendo la naturaleza la que le liberará de los clichés de una educación preconcebida.

Hemos de tener en cuenta que no es lo mismo:

- Educar a un niño pensando en que es de naturaleza sociable, abierto a los demás, a la confianza y al amor universal, que educarlo en la prevención y el recelo de que estamos ante alguien agresivo y pendenciero que hay que domeñar por la fuerza. Es decir, «un lobo para sus semejantes» —según la tesis de Hobbes— o un ser sociable y hecho para la convivencia.

- Educar a un niño como un ser creado para morir o un ser trascendente.
- Educar a un niño como un «ser para la nada», como «una pasión inútil», según reza el pesimismo existencialista, que educarlo de forma personalista como un ser hecho para asumir la responsabilidad de su vocación humana.
- Educar un niño de manera razonable, con el convencimiento de que con el uso de su razón se guiará en la vida de forma prudente, que dejarlo a merced de sus instintos y caprichos, incapaz de autocontrolarse.
- Educar a un niño como responsable de sus actos, como dueño de sí mismo y de sus decisiones aunque éstas impliquen grandes sacrificios, que dejarlo a la deriva de la presión del ambiente, del qué dirán, con un espíritu gregario y sin criterio propio.

¿Creemos que nuestro hijo es fundamentalmente libre y espiritualmente creativo, a pesar de sus condicionamientos, o lo consideramos un autómata prefabricado por la herencia y el ambiente?

Llegados a este punto debemos decir que quien primero tiene que clarificarse en sus propósitos es el propio educador. «En todo lo que haces, mira por qué lo haces», aconsejaba el viejo Diógenes. Cada uno debe pensar qué tipo de persona quiere formar para la vida, sin olvidar que la felicidad es la vocación del ser humano. Personalmente prefiero seguir los criterios de aquellas teorías que tienen en cuenta todas las dimensiones de la persona: la psicobiológica, la sociocultural, la espiritual. De entre todas las que cumplen este requisito, yo siempre he optado por la de Carl Rogers, porque la acción educativa que propugna me parece la más respetuosa con la dignidad del educando y la más inteligente para formar una buena persona, un individuo maduro y feliz con deseos de hacer felices a los demás.

Según Rogers, «el mejor punto de vista para comprender a una persona es colocarse desde el punto de vista interior del sujeto mismo». Traducido pedagógicamente, significa que *no comprenderemos nunca al niño si no nos esforzamos por ver las cosas como él las ve*. Rogers ha formulado las siguientes proposiciones fundamentales sobre la persona:

1. Cada individuo se desenvuelve en un mundo de experiencias que se halla en constante cambio y cuyo centro es el mismo individuo.
2. El ser humano tiene la capacidad, al menos latente, de comprenderse a sí mismo.
3. El organismo reacciona ante la realidad como un todo armónico, según sus experiencias y su modo de ver y sentir las cosas.
4. El concepto de uno mismo influye en el modo en que se percibe la realidad y, especialmente, en el modo de seleccionar las nuevas experiencias. La conducta es un intento del organismo para satisfacer sus necesidades profundas.
5. El mejor punto de partida para comprender la conducta del individuo es situarse en su ángulo de visión interior.
6. El ser humano tiene la capacidad, al menos latente, de resolver sus problemas.
7. El conjunto de características que el sujeto desearía poseer constituye el Yo-ideal.

8. La capacidad que tiene el ser humano de tomar conciencia de su propia experiencia tal como es, sin negarla ni deformarla, le hace apto para ejercer su capacidad de opción.

22. Ten en cuenta que la convivencia familiar y conyugal es un factor determinante en el futuro educativo del ser humano

Los sentimientos y costumbres que constituyen la felicidad pública se forman en la familia.

Mirabeau

Abordamos la última de las claves o estrategias para una educación inteligente. La primera de ellas era el amor al educando y a la profesión de educador, y la última, como broche, la convivencia entre los esposos y en la familia, es decir, entre padres e hijos, entre hermanos y entre los distintos familiares de uno y otro cónyuge.

El niño, desde su nacimiento, es como una esponja y se empapa de lo que vive y lo que ve. Para bien o para mal, va incorporando todo esto a su aprendizaje, a su manera de pensar, sentir y actuar.

Imaginemos por un instante un hogar en el que un niño no sólo no ha recibido el amor, la seguridad y el cariño que necesita de sus padres, sino que desde su más tierna infancia percibe que sus padres siempre están a la gresca: se insultan, se desprecian, se hieren, se desean mutuamente todo tipo de males. ¿Qué tipo de ser humano saldrá de hogares como los que a continuación describo, que siguen siendo hoy una realidad lacerante?

- Un hogar en el que todo se convierte en problema, todo se magnifica, en el que la doble moral, la mentira y la hipocresía son lo habitual.
- Un hogar en el que nadie hace nada por nadie, porque cada cual va a lo suyo y la falta de normas es la tónica diaria.
- Un hogar sin principios éticos o morales, en el que el alcoholismo y la droga hacen mella en padres y/o hijos.
- Un hogar en el que el maltrato físico y psíquico, el odio y los deseos de venganza son frecuentes.
- Un hogar en el que cada uno de los progenitores va por libre, como si la vida conyugal y familiar no tuviera importancia.
- Un hogar despersonalizado con padres sin autoridad ni criterios claros, gobernado de forma autoritaria por el suegro, la suegra, el cuñado o la cuñada.
- Un hogar contaminado de actitudes y pensamientos derrotistas, de tristeza y malos presagios, en el que se entiende el mundo como un valle de lágrimas y el sufrimiento como destino del hombre.
- Un hogar en el que uno de los cónyuges, o los dos, son seres violentos, inmaduros, dominantes, que se sienten dueños de la voluntad y la vida de los demás.

Uno de los recursos fundamentales de la educación inteligente es la feliz convivencia conyugal y familiar. El decálogo titulado «Felicidad conyugal», que se encuentra en mi libro *La fuerza del amor* (pp. 148-149), puede servir de guía para lograr esta convivencia madura, equilibrada y amorosa que resulta tan necesaria para la labor educativa de los hijos.

CÓMO LOGRAR QUE LA CONVIVENCIA EN FAMILIA CONTRIBUYA A UNA MEJOR Y MÁS COMPLETA FORMACIÓN INTEGRAL DE LOS HIJOS

— Desecha el estilo educativo autocrático (los padres imponen ideas que el hijo acata) tanto como el despreocupado o laxo (los padres dejan hacer, sin poner límites).

— Propicia la educación en libertad, valorando la autonomía y la conducta responsable de tus hijos, pero ejerciendo un control razonable sobre sus actos y dándoles gran apoyo afectivo. De esta manera, la educación inteligente adopta un estilo educativo armónico.

— Crea las condiciones básicas para una familia feliz presidida por el mutuo respeto y el amor, el sentido del humor, la capacidad de escucha, de tratar de ver lo bueno en los demás, de perdonar, de ponerse en el lugar del otro, de colaborar más allá de las propias obligaciones, de reír juntos, de disfrutar y de ser «todos para todos».

— Fomenta la madurez psíquica, el autocontrol y la responsabilidad de los propios actos, para lo cual los padres deben dar ejemplo y hacer lo posible por desarrollar en sí mismos y en sus hijos los siguientes objetivos:

* Buen conocimiento de uno mismo y aceptación de los demás.
* Autocontrol, estabilidad emocional, escala de valores firme y realista.
* Capacidad para soportar frustraciones y medir las consecuencias de los propios actos.
* Tenacidad, responsabilidad, actuación guiada por razones y no por impulsos.
* Buenas formas, cuidado en los modales y el lenguaje.

La acción inteligente de quien educa, tal y como acabamos de detallar en las 22 claves arriba explicadas, sin duda impulsará o moverá al niño y al adolescente a sentir deseos de mejorar, de cambiar y de hacer algo por y para sí mismo, por propia decisión y voluntad. Pero, ¿todo tiene que hacerlo el educador? ¿Qué hay de aquello que debe hacer el educando? ¿Cuál es su aportación en su propio beneficio? ¿Cómo debe actuar para cambiar a mejor, superarse y lograr nuevos objetivos?

A continuación se detalla todo esto en forma de decálogo, para conocimiento, reflexión y puesta en práctica por parte del educando.

1. Ser consciente de que hay actitudes y conductas que necesariamente debe cambiar y desenmascararlas

Para ello es bueno que las saque a la luz, les ponga nombre: falta de organización, disciplina o colaboración en casa, lenguaje soez, falta de autocontrol... Si son varios los problemas, debe empezar por dar solución al más grave, al que le está causando mayor perjuicio.

Por ejemplo, en el caso de Rosa, son unas cuantas las cuestiones a resolver: ha suspendido varias asignaturas, no se organiza, estudia cuando le viene en gana, dice tacos constantemente, está perdiendo a los amigos por su mal carácter y sus relaciones en casa también dejan mucho que desear. Ella sabe que tiene que corregir estas actitudes, pero ¿por dónde empezar?

Lógicamente, por aquello que es causa de todo lo demás: su falta de organización. Es preciso que elabore un programa de vida, pidiendo a sus padres que la ayuden a confeccionarlo, y se adapte a él. Cuando logre un mínimo de autodisciplina, recupere el hábito de estudio y sea más ordenada, podrá empezar a proponerse los restantes objetivos.

2. Querer con todas las fuerzas cambiar y mejorar. Sentir un vivo deseo de hacer lo que se debe hacer y conviene

Es fundamental asumir el reto del cambio. Nada se consigue si antes no se desea vivamente, sin la firme convicción de que queremos lograrlo.

Volviendo al ejemplo de Rosa, ella sabía que iba por mal camino, que hacía promesas que jamás cumplía y que de una vez por todas tenía que dejar de engañarse a sí misma y de culpar a los demás. Con catorce años, es lo único que debe y puede hacer. Esto se decía a sí misma: «¡Quiero con todas mis fuerzas responsabilizarme de mí misma! Mi futuro depende de lo que haga ahora, lo veo en los demás. Mi prima Lola es médico y mi amigo Carlos arquitecto porque se han sacrificado y han sido estudiosos y responsables, mientras que Teresita, a pesar de su inteligencia, ha sido siempre una cabeza loca, una irresponsable, y ahí está perdiendo el tiempo. Tengo claro que cada persona se la juega en su vida diaria y que debo aprender a ser responsable, porque si no asumo lo que me corresponde, tendré muchos problemas. ¡Quiero cambiar y voy a conseguirlo!»

3. Centrar la atención en la acción inteligente y pensar en los beneficios que aportará el cambio

Una reflexión profunda sobre las bondades y los beneficios del cambio activa y potencia la predisposición a mejorar; da fuerzas y ayuda a «tomar carrerilla» en el asunto abordado.

Si uno visualiza de antemano la acción inteligente que va a llevar a cabo y la disfruta previamente, como si los beneficios de la misma fueran ya una realidad, crecerá la ilusión por pasar a la acción y hacer eso que tanto cuesta.

4. Comprometerse muy seriamente en cambiar lo que se debe cambiar

Padres y profesores pueden aconsejar, contar cómo superaron sus problemas, llevar a su hijo al mejor colegio; los amigos pueden hablar de su autodisciplina, pero si la persona inmadura no toma la firme resolución de hacer lo que debe, todos los desvelos y el esfuerzo de los demás no servirán absolutamente de nada.

Sólo se accede a la madurez, sólo se pone un ser humano en camino hacia el logro de un objetivo cuando se compromete en serio, cuando está dispuesto a orientar su tesón y sus capacidades hacia el logro de la meta que se ha propuesto.

En la historia de Rosa, sus padres lo intentaron todo, pero ella decía siempre: «Me da igual, hagáis lo que hagáis no voy a estudiar.» Cuando vino a verme yo le comenté: «Vamos a tener sólo una consulta, porque tus padres me lo han pedido y quiero que me escuches bien. Después, tú decidirás si quieres que te ayude o lo dejamos; eres tú la que se la juega, porque si no haces nada por ti, todos los demás sobramos. Nosotros no somos importantes, la importante eres tú. Si no mueves ficha, pagarás las consecuencias. Hablaremos a solas un rato y, si te digo algo en lo que tú creas que llevo razón, me lo dices.»

Los padres de Rosa nos dejaron a solas y yo me quedé charlando con ella. Le hablé como si ya no volviera a verla más y puse en su tejado toda la responsabilidad. «Eres tú quien tiene que meter gol o encestar; los demás no somos sino espectadores que te queremos y sabemos que puedes convertirte en la ganadora.»

5. Anticiparse al desánimo, contar con los fallos y las recaídas, que sin duda llegarán, y darse nuevas oportunidades

La persona que pretenda hacer cambios importantes en su vida debe prepararse para los momentos en los que todo le parezca que no tiene sentido. En primer lugar, si pretendemos cambiar un hábito negativo, como en el caso de Rosa, es lógico pensar que los fallos y los momentos de desánimo llegarán, porque nadie pasa de la noche a la mañana de una conducta a otra. Todo exige un proceso y un tiempo.

¿Cómo se puede pretender que quien hoy no tiene apenas voluntad, no tiene hábitos positivos y no ha desarrollado habilidades suficientes, mañana lo haga todo perfecto? Esto es una quimera. La naturaleza no da saltos, procede paulatinamente, y así debe avanzar el educando. De ahí que nuestra amiga Rosa no tratara de solucionarlo todo al mismo tiempo y empezara por lo más ineludible, que era hacerse un programa y seguirlo, es decir, organizarse en el tema de los estudios y, pasados dos meses, cuando ya se sentía más fuerte, comenzar a perfeccionar su lenguaje y la forma de tratar a los demás. Seis meses después, Rosa era prácticamente otra persona. Había entendido bien que todo debe seguir su ritmo, que se ha de avanzar de manera gradual y que, cuando nos equivocamos o fallamos, en vez de lamentarnos o desesperarnos lo inteligente es corregir sobre la marcha.

6. Capitalizar los contratiempos y los fracasos como experiencias enriquecedoras

Una persona muy cercana a mí por lazos de sangre y por muchísimas razones comenzó a trabajar y padeció un durísimo acoso moral: apenas le daban trabajo, le tenían arrumbado como un trasto viejo e incluso tuvo que acostumbrarse a tomar café solo a media mañana, porque sus compañeros mostraban hacia él la indiferencia más absoluta. Yo sabía por lo que estaba pasando y me dolía mucho que fuera víctima de un trato tan inhumano. «Aprenderás muchísimo de esta experiencia y, si eres verdaderamente inteligente, no permitirás que la maldad y la conducta vil e infame de quienes pretenden hacerte daño roce ni un ápice tu espíritu. Nadie puede ofenderte si tú no se lo permites», le decía una y otra vez.

Este joven pasó brillantemente la prueba: siguió su camino y se comportó como debía, sabiendo que cuando el ladrido de la indiferencia o de la maldad sale de las fauces de un mentecato acomplejado y frustrado, no asusta a nadie salvo al propio caniche ladrador. Hoy, pasadas esas experiencias y esos contratiempos que ha sabido capitalizar, la persona a la que me estoy refiriendo puede ayudar y aconsejar a otros que padecen acoso moral, enseñándoles cómo se enfrenta uno a ese *detritus* empresarial más habitual de lo que se cree.

Todos somos más fuertes que cualquier adversidad, lo que ocurre es que, como no lo sabemos, obramos como débiles, como vencidos. Está en nuestras manos superar cualquier conflicto y remontar cualquier situación conflictiva.

7. No eludir la práctica y el entrenamiento constantes

Da igual que uno «oposite» a *Operación triunfo* o quiera ser futbolista de élite. La práctica, el repetir lo que es bueno muchas veces, resulta siempre imprescindible. Cualquiera que pretenda cambiar un hábito o mejorar en algo debe estar dispuesto a repetir muchas veces el hábito nuevo, la destreza que pretende fijar.

Si efectuamos un cambio a mejor en la conducta es imprescindible que nuestras acciones se conviertan gradualmente en automatismos, como le sucede al conductor que cambia de marcha o acciona los intermitentes de manera refleja. «La práctica hace al maestro», dice el refrán. Y es verdad.

8. Agradecer a quienes han pasado por nuestro mismo trance sus experiencias y buenos ejemplos

Nadie mejor para motivar a un estudiante fracasado que otro estudiante que le explique cómo superó su propio fracaso. Nadie mejor para alentar a un enfermo que se va a operar de una determinada dolencia que otro enfermo que se operó de la misma dolencia y se recuperó del todo.

Casi nunca es buena la soledad y menos aún cuando nos enfrentamos a la dificultad de despojarnos de hábitos, actitudes y costumbres negativas que nos dominan y esclavizan. Cambiarlos por otros nuevos, que además exigen un esfuerzo añadido y una fortísima voluntad, no resulta fácil. Por eso es bueno contar con el apoyo y las palabras de aliento de personas que han sufrido y superado nuestro mismo problema.

9. Autofelicitarse, sentir entusiasmo por lo que se ha logrado o se va a lograr

El educando debe convertirse en su mejor amigo y consejero, tratarse bien, perdonarse, alentarse; en definitiva, quererse. Uno nunca puede faltarse a sí mismo. La propia felicidad no depende de la opinión de los demás ni de sus alabanzas, sino del reconocimiento que se tenga de la propia valía.

10. Hacer balance de la vida anterior y compararla con la nueva

Se trata de un ejercicio que ayuda mucho a motivarse: comprobar cómo uno avanza en su perfeccionamiento, cómo va superando las dificultades que parecían insalvables. No hay que olvidar que uno no es un juez implacable de sí mismo, ni su propio padre ni, mucho menos, su enemigo. Cada uno logra los nuevos objetivos a su ritmo, como buenamente puede, sin prisa, pero sin pausa.

VII. Diez casos «ejemplares»

1. Carlos. Desordenado, comodón e irresponsable

Carlos, que con sus 13 años está comenzando la adolescencia, es un buen chico, pero muy desordenado, olvidadizo, respondón e irresponsable. Sigue la línea del menor esfuerzo, lo deja todo tirado y apenas colabora en casa. Las broncas, las súplicas, las regañinas o las amenazas no funcionan con él.

El discurso de su madre, que se reproduce a continuación, es casi una constante a lo largo de la semana:

> «Ya no sé qué decirte, hijo, ni qué hacer contigo. ¡Estoy al borde de un ataque de nervios! ¿Llegará un día en el que demuestres tener algo en el cerebro? Te crees que las cosas se hacen solas. ¡Pues no, guapo, hay que hacerlas! Eres un irresponsable y un comodón que no mueve un dedo para nada. ¿Cómo vas a aprobar? ¿Cómo vas a lograr algo de lo que te propones? ¡No hay más que ver el desorden en tu habitación, de tu armario, de tu mesa de estudio... Es el mismo que llevas en tu vida. Si no cambias de una vez, Carlos, no llegarás a ser nada. Ya podrías, ya, aprender un poco de tu hermana pequeña, que es una maravilla de cría, buen ejemplo te da en todo; pero no, tú no aprendes porque no te da la gana. ¿Quieres poner algo de orden en esta pocilga de habitación que tienes, aunque sólo sea por una vez?»

¿Qué percibe Carlos?

> «Mi madre, como siempre, lo único que hace es echarme la bronca, gritarme y meterse conmigo. ¡Vaya rebote tiene! No sabe qué hacer conmigo, está desesperada. Con mi actitud la tengo controlada.
>
> »Insultos, descalificaciones... soy un caso perdido. Para ella no hay cosa más importante en la vida que ser ordenado y responsable. ¡Pues va de cráneo conmigo! ¡Lo lleva claro! Ya sabe que no voy a ser nada en la vida y, para remate, me pone como ejemplo a la maniática de mi hermana. ¡Menuda pelota! Sólo busca tener contenta a su mamacita para que la mime y le diga lo maravillosa que es.»

Reflexión que debemos hacer

Con esta percepción que tiene Carlos sobre la forma de proceder de su madre, ¿se sentirá impulsado a cambiar, a ser más ordenado y responsable? ¿Decidirá cooperar? Los razonamientos que se ha hecho no apuntan en esa dirección, sino más bien en la línea de persistir en su mala conducta.

Intervención inteligente

La madre llama a la puerta de la habitación de Carlos, le pide permiso para pasar y pone como disculpa que le dé unos pantalones vaqueros que quiere echar a lavar o cualquier otra cosa. Entra sonriente, con la intención de encontrar algo bien hecho o mejor de lo habitual en la habitación de su hijo. Observa que la mesa de estudio está bastante ordenada: tan sólo un libro, un cuaderno y un bolígrafo, y sin perder la sonrisa, tomándole cariñosamente de los hombros, le dice:

«¡Enhorabuena, hijo! Así dicen los expertos que debe estar la mesa de estudio para lograr una mayor atención y concentración! Por cierto, no sabes las broncas que me echaba la abuela a cuenta de mi desorden y poca responsabilidad; me decía que parecía una cabra loca y que mi habitación era un pocilga. Es que en esto del orden has salido calcadito a mí. Así que, aunque ahora veas que estoy pendiente de todo, buen trabajo me ha costado asumir responsabilidades; menuda pieza era yo. Lo que podemos hacer es ayudarnos mutuamente: yo te echo una mano con tu habitación el día de la semana que tú quieras y tú con la parte alta de mi armario, que para eso eres más alto y ágil que yo.»

¿Qué percibe Carlos tras esta inteligente intervención de su madre?

Percibe el buen talante, la actitud acogedora de su madre y su respeto, pues no pasa a su habitación sin antes pedirle permiso. La inteligencia y el tacto que ha demostrado al no recriminarle su falta de orden y de responsabilidad, así como el detalle de felicitarle por su mesa de estudio, influyen favorablemente en la reacción de Carlos. También el ponerse en su lugar y admitir la posibilidad de que se trate de un asunto de familia.

Por último, proponerle una colaboración mutua da prueba de su buena voluntad y su humildad.

¿Qué razonamiento se hace Carlos?

Que su madre es un encanto de persona, que siente gran respeto y amor hacia él y que no puede defraudarla. Sin duda, esta reflexión moverá la voluntad de Carlos, que se sentirá motivado a cambiar a mejor y, libremente, elegirá cooperar en el futuro.

2. Irene. No hace los deberes, no se organiza y acumula suspensos

Irene tiene 10 años y, cuando llega del colegio por la tarde, se dedica a llamar a las amigas por teléfono, se sienta frente a la tele o se baja al patio a jugar. Nunca encuentra un momento para hacer las tareas, por lo que ha suspendido varias asignaturas. Los padres le dicen que tiene que estudiar y organizarse; ella dice que lo intenta, pero que se cansa, que se le olvida... No hay forma de hacerle cambiar y que aprenda a responsabilizarse.

Le dice su padre:

> «Irene, lo hemos intentado todo contigo y no hemos conseguido nada. Hemos hablado con tus profesores y nos comentan que eres inteligente, pero que no estudias. Ni siquiera te enterabas de las tareas que tenías hasta que logramos que las apuntaras en tu cuaderno. Hasta te hemos prometido regalos si aprobabas y no hemos conseguido nada. Tu madre y yo hemos decidido darte una última oportunidad; si no la aprovechas y persistes en tu gandulería, si no haces cada día los deberes y apruebas todas las asignaturas en la próxima evaluación, te quedarás en casa sin salir todos los días de la semana y te prohibiré hablar por teléfono con tus amigas y amigos. Estoy harto de contemplaciones y gaitas.»

¿Qué percibe Irene?

Percibe que, si ya lo han intentado todo con ella sin éxito, es un caso perdido. Que se trata de su última oportunidad para reaccionar, pero que bajo la amenaza de no dejarle salir o hablar por teléfono con los amigos, no van a lograr nada.

Reflexión que debemos hacer

¿Dará resultado la actitud amenazante del padre? Puede ser, porque ha demostrado firmeza y le ha dado un ultimátum. Sin embargo, no es bueno que Irene obre sólo por temor, por miedo al castigo, ya que entonces la cooperación será escasa y de mala gana, no libre y voluntaria. Además, el padre ha cometido el error de no sugerir a su hija la forma de obrar, de organizarse y recuperarse.

Intervención inteligente

La intervención inteligente sería sentarse con su hija a dialogar y decirle:

> «Hija, cuando el otro día llegaron tus notas, vi la preocupación reflejada en tu rostro y me acordé de mis años de colegio. Tenía yo dos años más que tú cuando por primera vez me cayeron tres suspensos. Comprenderás cómo me sentí. Yo era un chico estudioso y responsable, había defraudado a mis padres, tus abuelos, y lo pasé tan mal que se me quitaron hasta las ganas de comer. El abuelo no dijo nada al verlas, pero su silencio fue demasiado elocuente. Tu abuela intentó quitarle leña al fuego: que aquello era una cosa pasajera, que era evidente que me había confiado, que le parecía normal tener fallos y que prefería recordar todas esas veces que me había comportado de forma responsable. Hicimos entre los dos un programa de recuperación de esas tres asignaturas suspensas y logré aprobar en la siguiente evaluación. Al final del curso, incluso, saqué un notable en cada una.
>
> »Como yo sé, hija, el bien que me hizo que la abuela confiara en mí, si quieres probamos un programa parecido contigo. Me encantará recordar aquellos años y, además cuando venga la abuela el sábado puede ayudarnos. ¿Qué te parece?»

¿Qué percibe Irene tras esta inteligente intervención de su padre?

Percibe una actitud empática de su padre, que no sólo se fija en la preocupación de su rostro, sino que vuelve al pasado para ponerse en la piel de su hija. Irene escucha atentamente su historia y le ve niño, como ella, y preocupado por encontrar una solución a su problema. Igual que a su padre le ayudó su madre, ella puede recibir el apoyo de él. Siente deseos de hablar con su abuela y que le dé su versión de las cosas.

Ante una propuesta así, sin dramas ni prohibiciones, Irene no puede sino aceptarla. Piensa que es posible el cambio y se promete a sí misma intentarlo.

¿Qué razonamiento se hace?

Las reflexiones que se hace Irene son: que tiene un padre comprensivo y estupendo al que quiere imitar y que está deseando demostrar que estos suspensos han sido algo circunstancial nada más, porque se ha confiado, como le dijo la abuela a su padre. ¿Cómo no va a colaborar y se va a proponer mejorar en todo?

3. Pedro. Un niño celoso y violento

Pedro es un niño de 7 años, bastante celosillo, al que se le va la mano con frecuencia. De hecho, ya son varias las veces que ha pegado o empujado a su hermana María, de 3. La última fechoría es más grave: le ha puesto una zancadilla y María se ha hecho sangre en la nariz y en la rodilla. La madre llega a la habitación en el momento oportuno como para presenciar esta acción violenta.

¿Cuál es su reacción? La de prácticamente cualquier madre en esas circunstancias. Con el rostro desencajado por la ira, corre detrás de Pedro hasta que lo alcanza y le propina unos cuantos azotes, al tiempo que le dice cuán violento, mal hermano y mal hijo es. Además, le advierte de lo que le espera cuando venga su padre por la noche y le cuente lo sucedido. Pedro se queda llorando en un rincón, lleno de rabia y odio hacia ella y hacia su hermana. Ve que su madre, para consolar a la niña llorosa y malherida, la besa y la abraza después de curarla, y le promete hacerle un regalito, lo que ella le pida, cuando salgan de compras. Por el contrario, a Pedro le dice que si sigue así nadie le va a querer y que es un chico que no tiene arreglo, verdaderamente «incorregible».

¿Qué percibe Pedro?

Percibe el rostro de ira y de rabia que tenía su madre cuando le ha pegado, las amenazas de lo que le espera cuando llegue su padre, la promesa a María de un regalito y las caricias y mimos que ella ha recibido. En definitiva, piensa que él es malo para su madre y se reafirma en lo que le ha dicho: nadie le va a querer.

La envidia y los celos hacia María crecen y por ello trama seguir metiéndose con ella, sobre todo cuando estén solos y nadie les vea, y por supuesto negar que le ha hecho daño. En esos momentos, por su madre siente odio, porque es una chivata que no se conforma con los insultos y la paliza que le ha dado, sino que encima se lo dirá a papá para que también él le castigue.

¿Se sentirá impulsado Pedro a cambiar de actitud con este proceder de su madre?

No. Tiene demasiados deseos de venganza como para que pueda cambiar. Al contrario, se reafirmará mucho más en su conducta negativa y ésta irá a peor.

Intervención inteligente

¿Qué pasos debe dar la madre hasta lograr que Pedro se arrepienta de lo que ha hecho y decida mejorar?

a) Con una actitud seria, firme, pero sin odio en la expresión, decirle:
   «Pedro, estoy muy enfadada contigo por lo que acabas de hacer a tu hermana. Fíjate bien que está sangrando y llorando de dolor. Te digo que estoy muy, pero que muy enfadada por cómo te has comportado.»
b) De inmediato, reflejando en el rostro comprensión, serenidad y afecto, decirle:
   «Estoy enfadada por lo que has hecho, pero yo sé muy bien que tú eres bueno, que sabes comportarte bien con tu hermana. Lo sé y te voy a decir por qué. (En este instante, Pedro es todo oídos, pues aunque su madre le acabara de reprochar su mala acción, sin embargo quiere saber por qué le parece que es bueno.) Hace tan sólo unas semanas, yo tenía que ir a la farmacia a comprar unas medicinas. Estaban a punto de cerrar y te pedí que te quedaras cuidando de María. Como la farmacia estaba cerrada, tuve que ir a una de guardia y pasó más de media hora. Volvía preocupadísima pensando que podía haberos pasado algo, pero llegué y te vi jugando tan con-

tento con ella. Me parece que le estabas dando un beso. Entonces te felicité por tu buen comportamiento y te dije lo orgullosa que me sentía de ti, ¿te acuerdas?»

c) Sin duda, Pedrito tiene ahora claro que puede ser bueno. Su madre le ha demostrado que confía en él y piensa que lo de la zancadilla tiene solución. La madre ve en su expresión una señal de arrepentimiento y aprovecha para preguntarle:
—¿Qué debes hacer ahora, hijo, tú lo sabes?
—Pedirle perdón a mi hermana, darle un beso y prometerte que voy a ser bueno y que no pondré más la zancadilla a María.

d) La madre, llena de orgullo y felicidad, abraza a Pedro y le dice cuánto le quiere. Luego abraza a los dos y les explica cuánto deben quererse como hermanos que son.

¿Qué piensa Pedro tras esta inteligente intervención de su madre?

Sabe que ha hecho algo malo, porque su madre lo dejó bien claro en esos segundos en que le demostró que estaba muy enfadada por su conducta. Pero también sabe que él es bueno, aunque a veces se comporte mal, y que no hay que confundir a la persona con lo que hace.

Al recordarle su madre que en otra ocasión él supo comportarse bien y mostrarle su confianza en que sabrá mejorar, Pedro piensa en cambiar de actitud para, entre otras cosas, verla contenta. Se ha sentido bien con el fuerte abrazo de su madre, su cálida sonrisa y sus palabras.

Reflexiones y conclusión

Para que los niños puedan saber lo que está mal, sus padres deben mostrarlo con su expresión y sus firmes palabras; pero de inmediato tienen que sembrar la esperanza y la confianza en que van a mejorar. En el corazón y la mente de los hijos ha de quedar claro que, aunque en ocasiones se obre mal, todos podemos corregirnos y tenemos la posibilidad y la capacidad para hacer cambios importantes en nuestra conducta y en nuestra vida.

4. Manoli. Cuando ya no hay esperanza

Manoli tiene 9 años y su interés por el colegio es nulo, al igual que sus ganas de estudiar. Está en 4.º de Primaria y va bastante retrasada, aunque sus profesores comentan que es lista. Los padres han utilizado mil recursos: hacer del estudio un juego, premiarla, animarla, prohibirle hacer algo que le guste... pero sigue impasible, sin mostrar el menor interés. Para hacer los deberes, necesita la tarde entera y ¡con ayuda!

Reflexión y consideraciones previas a una intervención inteligente

Éste es el típico caso que se nos presenta a los expertos cuando la familia ya ha perdido la esperanza. El niño asume dicha situación como crónica y tampoco sabe qué hacer. Se limita a permanecer en la pasividad y los padres y profesores, entregados a sus lamentos, tampoco encuentran salida.

Por el relato de la madre, y porque pude comprobar personalmente que Manoli tenía una velocidad de lectura muy lenta y un bajo nivel de comprensión, entendí que la falta de ilusión para estudiar e ir al colegio tenía una razón más frecuente de lo que parece. Cuando el nivel de conocimientos y de seguimiento de la clase está por debajo del mínimo necesario, se hace muy cuesta arriba para el alumno el día a día.

Lo explico de forma más clara. No pocos niños que están aprendiendo a dividir, resulta que no saben sumar y restar bien, o que no dominan por completo la tabla de multiplicar. Es decir, se les exige que aprendan algo para lo que todavía no están capacitados. Otro tanto ocurre con la lectura. He comprobado que el 90 por ciento de los fracasados escolares preadolescentes, y por encima del 70 por ciento en el caso de los adolescentes, no tiene un nivel suficiente de lectura rápida y de comprensión lectora; es decir: *ni leen bien ni entienden lo que leen.*

Por tanto, mi primer objetivo con Manoli fue tratar de llenar sus vacíos de aprendizaje y enseñarle los contenidos mínimos que no dominaba, para así darle seguridad y la sensación de que podía dominar aquello que estudiaba.

Determinar qué es lo que hay que hacer es siempre lo primero. Luego se trata de buscar las medidas inteligentes que mejor puedan ayudar al caso concreto. Vayamos, pues, sacando conclusiones:

1. Manoli no sabía lo necesario para poder cursar con éxito el 4.º de Primaria.
2. Si arrastraba esta situación desde hacía mucho tiempo, seguramente sentía afectada su autoestima, se consideraba tonta o poco valiosa y tampoco creía ser capaz de remontar los fracasos.
3. Había oído de labios de sus padres que era un caso perdido, puesto que habían utilizado con ella «mil remedios». Esto la reafirmaba más en su incapacidad.

4. Instalada en la desesperanza y el pasotismo, el único recurso que le quedaba era llorar, acusar a sus padres o a los profesores, almacenar un odio contenido, etc.

¿Qué claves inteligentes eran las más eficaces para que Manoli depusiera su actitud recalcitrante y negativa? ¿Cómo podíamos mover su voluntad para que decidiera hacer algo por sí misma? Nada mejor para animarla que hacer que retomara un mínimo de confianza en ella misma. ¿De qué manera? Recordándole las cosas buenas y valiosas de su pasado o su presente y demostrarle que otras personas con su mismo problema habían logrado superarlo y le explicarían cómo.

Hablé con los padres de Manoli y me contaron que hasta hacía relativamente poco había sido una estudiante brillante y que no sabían por qué había empezado a ir de mal en peor. Manoli tenía, además, madera de líder: alta y guapa, hacía amigos con facilidad y era también una buena deportista.

Curiosamente, una tía materna, Gema, a la que Manoli admiraba y quería mucho, en sus años adolescentes había tenido que repetir curso tras una mala racha y hoy era médico de familia. Ya teníamos, pues, el primer resorte para mover la voluntad de su sobrina. Le pedí que viniera a la siguiente consulta y montamos una estrategia que, en síntesis, fue ésta:

> «Manoli —le dije—, las personas que estamos aquí deseamos lo mejor para ti y sabemos cómo te sientes, lo mal que lo estás pasando. El problema que tienes con los estudios lo tuvo tu tía Gema y mira cómo superó todos los obstáculos hasta convertirse en una médica extraordinaria. Yo mismo, que hoy me dedico a ayudar a chicos y chicas como tú, también tuve que repetir preparatorio de ingreso; tenía un año más que tú y me sentí fatal cuando mi madre le dijo a los profesores: "¿Creen que mi hijo no vale para estudiar?" Si te parece, podemos trabajar juntos en esas

cosas fundamentales que no sabes bien pero que son imprescindibles para que sigas adelante. Lo mismo que mis padres y un buen profesor hicieron conmigo cuando yo suspendí.»

Manoli estuvo muy atenta a mis palabras y se interesó por cómo me había sentido yo entonces, después del suspenso. También mostró gran interés en saber cómo su tía Gema se las había arreglado para convertirse en una estudiante brillante.

En conclusión, la primera parte de la intervención inteligente estuvo orientada a conocer en profundidad el problema de Manoli y sus causas para diseñar las estrategias adecuadas de recuperación. Al mismo tiempo, se intentó convencerla de que no era ningún caso perdido, como le habían hecho creer. La segunda parte fue llevar a la práctica un programa elaborado para ella de «puesta a punto» o recuperación, en el que tuvo parte activa y directa.

Dos meses más tarde, el cambio que había realizado esta niña era total. Ahora era ella la que pedía que le tomaran las lecciones, la que informaba a sus padres sobre el desarrollo de las clases y mostraba una actitud de plena y gozosa colaboración. En la actualidad, Manoli estudia 4.º de Derecho.

«Si nosotros pudimos, tú también puedes. Sólo tienes que permitir que te lo demostremos. Nosotros también tuvimos problemas importantes con los estudios, somos "colegas" en esto y estamos juntos.» Esta forma cercana, segura y cálida de dirigirse al educando funciona prácticamente siempre, si se confía verdaderamente en su buena voluntad y su colaboración.

5. Lucas. Entre la distracción y el despiste

Lucas tiene 8 años y se distrae con todo. Está siempre en su mundo, no escucha. Sus padres han observado que las parrafadas largas le duermen, no les presta atención. Vinieron a consulta y les expliqué que a los niños despistados les sucedía lo mismo que a los perritos, que no se enteraban de los discursos largos. Las órdenes y sugerencias había que condensarlas en una o dos palabras, pronunciadas con firmeza y energía, al tiempo que se les cogía del brazo, de los hombros o se les hacía una carantoña.

Lucas se olvidaba de tres cosas prácticamente siempre: lavarse los dientes, cambiarse de ropa interior y ordenar su mesa de estudio. Le habían explicado lo importante que era lavarse bien los dientes inmediatamente después de comer para evitar las caries; no habían escatimado darle toda clase de razones para que entendiera que el orden ayuda a estudiar mejor y, en consecuencia, al éxito en el futuro... pero después de escucharles más o menos atentamente, al día siguiente se olvidaba otra vez de todo. «Lucas necesita mensajes rápidos, vigorosos que le transmitan confianza —les dije a sus padres—. Por ejemplo, nada más terminar de comer, cogedlo por los hombros y decidle: "Hijo, vamos a recordar: después de comer, los dientes cepillar." Es bueno que lo haga al tiempo que vosotros, y así podéis aprovechar para hacer muecas frente al espejo y reíros un rato. Si convertís en hábito esta acción, terminará por incorporarla.»

En cuanto a la ropa interior, a su madre se le ocurrió esta frase: «Si la lavadora está lavando, Lucas se está cambiando.» Cada vez que ella le decía al niño en tono jocoso: «Si la lavadora está lavando...», él le contestaba: «Lucas se está cambiando.» Y rápidamente lo hacía y llevaba la muda a la lavadora. En lo que se refería al orden de su mesa de estudio, les sugerí a los padres que le colocaran encima de ella una cartulina con la siguiente frase: «Una persona organizada tiene su habitación ordenada.»

Sé que a algún lector estas formas de proceder pueden parecerle bobadas, pero mis años de experiencia me dicen que no lo son. En cierta ocasión, a un padre sabelotodo, que solía llamar «guarro» e «imbécil» a su hijo, al tiempo que le propinaba un par de bofetadas, se le ocurrió decirme que esta manera de educar era «una chorrada de psicólogos y educadores sin la menor idea, a pesar de tantos estudios». A lo que contesté: «Siga su camino, caballero, insulte a su hijo y atícele buenas bofetadas. Espero que no tenga que lamentarlo algún día, porque sufra usted en sus carnes el trato que ahora quiere dar a su hijo.»

Jamás he defendido la estúpida blandenguería educativa. He hablado, por el contrario, de poner límites, de sufrir las consecuencias de los propios actos y de hacer uso de la autoridad, pero siempre de forma dialogante. Eso no está en pugna con el respeto y los buenos modales.

Veamos en un esquema gráfico cómo deben ser los recordatorios de lo que se debe hacer. Resulta preferible que sean escuetos y que se formulen de manera impersonal, con el fin de que el niño capte la idea de que lo que se dice es bueno y conveniente *per se*, tanto para él como para sus padres o hermanos.

FORMAS INADECUADAS
— «Te he dicho mil veces que tienes que lavarte los dientes después de comer. ¿Por qué no me obedeces? ¿Te quieres quedar conmigo? ¿Te gusta verme enfadada?» — «Ya estoy harta de repetirte siempre lo mismo, así que ¡lávate los dientes de una vez, que te vas a quedar sin ellos antes de lo que piensas!» — «¡Qué grosero eres, hijo, ¿no te da vergüenza emplear esas palabrotas y tener unos modales tan chabacanos? ¿Es eso lo que te enseñamos en casa? ¡Vergüenza me da de ti! ¡Y vergüenza debería darte a ti!»

FORMAS ADECUADAS
— «Lavarse los dientes evita muchas enfermedades. Todos debemos hacerlo.» — «Hay que hablar a los demás con el mismo respeto y educación con que deseamos ser tratados. Espero que todos obremos así.» — «Las palabras que decimos nos delatan, ¡cuídalas!»

6. Óscar. La fuerza motivadora de los elogios y del reconocimiento

Óscar está en plena adolescencia y, desde hace meses, poco después de cumplir los 14 años, aprovecha cualquier momento para hacer rabiar a María, su hermana de 9 años. La madre me cuenta que no sabe cómo convencerle para que la deje en paz. Cuando le sugirió ir a un psicólogo, éste se negó. «Le he regañado, le he prometido subirle la paga si se porta mejor con María, pero no deja de molestarla, sobre todo cuando yo no estoy presente. Con sus malditas gracietas está creando en la niña un verdadero estado de ansiedad.»

Terapia indirecta

Cuando la persona que tiene un trastorno o problema se niega a ir al especialista, por los motivos que sean, entonces preparamos a las personas de su entorno, en este caso a los padres, para que sean los encargados de una terapia «indirecta». Así podrán sugerir correcciones oportunas, cambios de conducta...

¿Qué consejo di a los padres?

En las dos entrevistas que mantuve con ellos, observé que Óscar sólo había recibido reproches y casi ninguna alabanza ni reconocimiento por parte de sus padres. La atención que le prestaban se limitaba a aquellos momentos en los que lograba enfadar a su hermana o hacerla llorar.

—Tenemos que cambiar radicalmente de forma de proceder. Debéis estar bien atentos los dos para «cazar» a Óscar en momentos de buena armonía y entendimiento con su hermana, para que así tengáis la oportunidad de felicitarle por la forma respetuosa y amable con la que trata a María.

—Pero, ¿qué hacemos cuando se meta con ella?

—No debéis intervenir, salvo que le haga daño. Que María le ignore y sea ella misma quien se defienda, preguntándole si no tiene otra cosa mejor que meterse con ella constantemente, como cualquier cobarde, ya que es mucho mayor. Su hermana debe aprender a afearle la conducta cuando se porte mal y a agradecerle su consideración y su ayuda cuando se porte bien.

Fue el padre el primero en observar una actitud cercana y afectuosa de Óscar para con María, cuando ella le dijo:

—Tú, que eres tan bueno en matemáticas, podrías echarme una mano en este problema, que debe ser fácil, pero ya sabes lo mala que soy en esta asignatura.

—No eres tan mala en *mate*, tía, lo que pasa es que eres una comodona; pero venga, voy a ayudarte.

Llevaban más de veinte minutos en buena armonía y trabajando, cuando apareció su padre y preguntó:

—¿Qué tal lo lleváis?

—Aquí, echándole a María una manita en matemáticas —respondió Óscar.

Al rato, Óscar cogió la bicicleta para irse con los amigos y su padre, recordando que debía aprovechar cualquier buena acción de su hijo para felicitarle, se hizo el encontradizo y le dijo:

—Hijo, estoy muy contento y muy orgulloso de ti. Ahora mismo estaba pensando que tu madre y yo no nos hemos dado cuenta muchas veces de las cosas buenas que haces, como ayudar a tu hermana en sus tareas. Sabes que María te admira, que cree que eres un fenómeno en matemáticas y en casi todo. Siempre que te vea comportarte como un buen hermano con ella te lo voy a recordar y te voy a felicitar por ello.

—Gracias, papá. Ya ves que no soy tan quisquillas, aunque muchas veces me porto mal. Te prometo que voy a mejorar. Me ha gustado mucho que me felicites.

A partir de aquel día, Óscar empezó a cambiar con tal rapidez que, en poco más de un mes, el trato con María era de gran respeto y afecto. Su hermana, cada día más orgullosa de Óscar, reaccionó regalándole para su cumpleaños, sin que nadie lo supiera, el teléfono móvil con el que tanto había soñado. Vació su hucha y gastó todos sus ahorros para darle el gusto a su estupendo hermano.

Óscar seguramente no sabrá nunca que su cambio de conducta fue la consecuencia de una intervención educativa inteligente por parte de sus padres. Pero así fue.

— Reconocer y alabar cosas concretas, las que el niño más necesite, así verá que estamos atentos a sus esfuerzos.
— Las alabanzas ante familiares y amigos son más provechosas y reforzantes.
— No pasarse en los elogios, porque obtendríamos los efectos contrarios. No tienen sentido frases del tipo: «Eres el más listo de la clase.»

7. Mario. Estudiante pasota, irrespetuoso, desafiante

Mario es un chico de 16 años déspota y chuleta. No da ni golpe, ha repetido curso y se muestra desafiante con los profesores. Pero no es un caso único; muchos profesores tienen en su clase al menos dos o tres tan difíciles o peores que él. De ahí que crean poco en las teorías pedagógicas que se basan en la motivación del alumno, la empatía o el educar con el ejemplo.

Hace unas semanas mantuve una animada discusión con un profesor de Secundaria de un instituto que tiene varios años de docencia. Me informó cómo se respira en no pocos ámbitos educativos al hablar de casos como el de Mario: «Son chicos que no estudian ni dejan estudiar, van a clase de vez en cuando, porque se les obliga y no tienen otra cosa que hacer a esa edad. Son repetidores recalcitrantes, sin un mínimo de conocimientos que les permitan ponerse al día en las asignaturas. Su conducta es pésima, chulesca, desafiante; amedrentan a los más débiles y a los que se comportan bien y estudian. ¿Qué hace en estos casos esa educación inteligente que tú defiendes con tanto entusiasmo como si fuera la panacea?»

No tengo panaceas, ni recetas milagrosas ni pastillas que modifican la conducta desmotivada, insultante y violenta de un adolescente como Mario. Lo que sí tengo es la experiencia de haber logrado que bastantes casos que se daban por perdidos mejoraran poco a poco hasta llegar a solucionarse con eficacia. En otros casos, bien porque no se actuó de la forma adecuada o bien porque el individuo en cuestión tenía claro que su único objetivo era amargarle la vida a los profesores y a todos, no se obtuvo el resultado que se esperaba.

¿Qué se hizo en el caso de Mario?

El profesor-tutor de Mario le invitó a merendar porque tenía que pedirle un favor y aprovechó para charlar un rato con él.

—Pide lo que quieras, Mario. Tú sabes que los hombres de negocios comen o cenan juntos para hablar de sus cosas. A mí me ha parecido oportuno invitarte a merendar para poder hablar a solas contigo y pedirte que me ayudes, si quieres. Todo depende de lo que tú decidas.

—¿En qué le puedo ayudar yo a usted?

—Me puedes ayudar mucho porque tienes una fuerte personalidad. Si yo pudiera lograr que me dejarais explicar en clase, que hubiera un mínimo de silencio, las cosas cambiarían para mí. Estoy preocupado porque me gano la vida como profesor y mi garganta es mi herramienta de trabajo. Acaba de decirme el médico que no puedo seguir gritando, que tengo que estar un mes hablando lo menos posible. He observado que si tú te portas bien los demás te imitan y, si te portas mal, también. ¿Qué harías tú en mi lugar? Yo creo que harías lo que te estoy pidiendo. Como creo que podemos entendernos, dime lo que quieres que yo haga por ti y lo haré, pero dime también si quieres ayudarme en esto.

Era verdad que el profesor-tutor tenía un pequeño nódulo en las cuerdas vocales. Su actitud de colega, de amigo que pide un favor, hizo que Mario se sintiera importante y decidiera cambiar de actitud, tanto con este profesor como con los demás.

¿Qué hacer cuando no dan resultado las estrategias de una intervención inteligente?

Cuando se han puesto todos los medios y se han utilizado todas las técnicas, se le han dado al joven varias oportunidades y nada sirve, en ese caso tan desesperado no queda otro remedio que la solución drástica de apartar al joven violento, peligroso, desequilibrador y desestabilizador del aula, de la convivencia con los demás alumnos. Esos casos especiales necesitan un tratamiento particular y la Administración debe arbitrar qué centros, expertos y medios son los necesarios. Lo que no puede ocurrir, y está ocurriendo, es que se haga oídos sordos a la petición desesperada de los profesores cuando denuncian o informan de casos verdaderamente patológicos que ellos ni pueden ni saben tratar.

A mi juicio, en todas las comunidades autónomas debería haber unos centros especiales, con profesores perfectamente capacitados, para tratar a los estudiantes que, sin ser delincuentes, sus conductas y actitudes rozan la delincuencia, como en el caso de esos jóvenes que sólo asisten a clase «para reventarla», como me contaba este profesor de instituto.

También se echa en falta centros y profesores especializados para tratar a fracasados escolares de todo tipo. Estamos cometiendo el error de cargar todo el peso educativo sobre el profesorado. Los casos más difíciles o patológicos, que abundan más de lo que parece, precisan una atención distinta en centros especializados, y ello no es hoy una realidad en nuestra sociedad.

Por otra parte, si los padres son los primeros y principales educadores, ¿qué se está haciendo para formarlos como tales? ¿Dónde pueden adquirir los conocimientos necesarios y la experiencia adecuada? Este libro de práctica educativa pretende llenar ese hueco y servir de lanzadera para que surjan muchas escuelas para padres en las que se impartan cursos y conferencias, y para que en las universidades populares y de verano el tema de la educación adquiera verdadero protagonismo.

8. Blanca, Ricardo y Ricardito. La mujer critica a su marido y a su hijo por su falta de colaboración en las tareas del hogar

Blanca es profesora, como su esposo, y trabaja tantas horas como él; pero cuando llegan a casa es ella la que carga con todo, porque Ricardo —su esposo— y Ricardito —su hijo de 15 años— se sientan a ver la tele o frente al ordenador, o se tumban a leer. Aunque a menudo les recrimina su actitud, ellos no reaccionan. Y el día que está más nerviosa, se termina armando en casa la marimorena: les acusa a ambos de ser egoístas, desaprensivos, comodones, con más cara que espalda; no hace la comida, no lava la ropa... Tras varias de éstas, parece que padre e hijo han reaccionado y vienen a verme para que les ayude a reencontrarse y mejorar las relaciones familiares.

Ya en consulta, me exponen los hechos y Blanca dice que ya ha llegado al límite, que se encuentra sin fuerzas y que ha decidido tirar la toalla.

—Blanca, sé perfectamente cómo te sientes y lo saben también tu esposo y tu hijo. Os pido, por favor, que os pongáis en su lugar para que vea que estáis dispuestos a cambiar, que no queréis seguir defraudándola. Te pido a ti primero, Ricardito, que expreses tu opinión.

—Mamá, llevas la razón. Nos hemos vuelto comodones y hemos abusado de tu bondad. Te comprendo y sé que papá lo siente tanto o más que yo. Hemos comentado más de una vez que nos habíamos pasado contigo. Te prometo que voy a cambiar.

Al darle la palabra al padre, éste empezó por echarse todas las culpas, ya que su hijo no había hecho otra cosa que imitarle desde bien pequeño. Luego añadió:

—Cariño, te aseguro que vas a notar en nosotros un cambio que te va a hacer sentir muy orgullosa. Sé que lo hemos hecho fatal, pero todo tiene arreglo y Ricardito y yo te lo vamos a demostrar.

Al terminar de hablar su marido, Blanca estaba sollozando. Con palabras entrecortadas me decía que me diera cuenta de lo buenas personas que eran los dos, de lo arrepentida que estaba por haberles gritado y tratado así. Entonces le dije:

—Blanca, no te preocupes por ello. Era necesaria esa reacción tuya para que tu marido y tu hijo percibieran que estabas al límite de tu paciencia.

—Pero mi hijo sólo tiene 15 años, ¿no le habrá hecho daño ver que he insultado a su padre?

—Ya ves que tu hijo está bien y comprende que hayas tenido esa reacción. No sólo no le ha hecho ni le hará ningún daño, sino que le servirá para entender que los problemas en las familias, entre esposos y entre padres e hijos, se deben expresar con claridad y crudeza para así buscar soluciones. Él te ha visto destrozada, al límite, y comprende tu reacción desesperada; se ha puesto en tu lugar y ha reconocido que no hay derecho a un comportamiento como el suyo y el de su padre. Además, ha aprendido de su padre a reconocer que ha obrado mal. Siempre es un buen ejemplo que un padre admita sus errores ante su hijo.

Conclusión

Muchas discusiones familiares resultan «provechosas» para los hijos porque pueden aprender de ellas. Pueden aprender a aplicar buen juicio, a buscar puntos de acercamiento y encuentro, a respetar los distintos criterios y a lograr un mayor entendimiento.

9. Luis. El trato a los profesores

No pocos padres piensan que con llevar a sus hijos a un buen colegio ya está todo solucionado, que allí se encargarán de educar a su hijo. ¡Grave error! Somos los padres quienes tenemos la obligación y el deber de educar a nuestros hijos, y quienes hemos de inculcarles respeto y agradecimiento a sus profesores, en su mayoría excelentes profesionales que no suelen recibir la consideración que se merecen.

También nosotros tenemos que darles un voto de confianza y, si se equivocan o cometen algún error, como en el caso que expongo a continuación, mostrarles nuestra compresión y plantear las observaciones, advertencias o críticas con exquisito tacto.

Luis tiene ya 11 años y sigue incordiando en clase; no para quieto y hace bobadas con frecuencia, tratando de llamar la atención. Un día llegó de clase muy enfadado, porque la profesora le había dicho delante de todos que a ver si dejaba ya de llamar constantemente la atención y de ser un payaso. «Eres un inmaduro y un bobo, y ya tienes años para ser un poco responsable. ¿Sabes lo que significa?»

Actitud de Carmen, madre de Luisito

Carmen habló con su hijo y le dijo:

—Tu profesora está viendo que no te centras, que no atiendes, que pierdes el tiempo en bobadas... y tú sabes que lleva toda la razón. Te dice estas cosas porque espera que reacciones y te portes mejor, pero ella no pretende ofenderte. Sé que es una buena profesional que quiere a los alumnos y se preocupa de ellos.

Es decir, no le dijo: «Iré a hablar con tu profesora para decirle que haga el favor de no llamarte payaso e inmaduro, ¡qué se habrá creído!; no le dio alas a su hijo criticando la actitud de la profesora. Por el contrario, le recordó que debía corregir su conducta irresponsable, comportarse con seriedad, atender en clase y aprovechar el tiempo.

Una madre o un padre inteligente no comete la torpeza de creer al hijo sin más y no indagar a fondo para enterarse de lo que verdaderamente ha ocurrido. Un profesor puede perder el control, porque es un ser humano y también se equivoca; pero eso no justifica que carguemos contra él y nuestro hijo se vaya de rositas sin reconocer sus errores y comportamientos más o menos graves, cuando afectan al buen orden de la clase y al aprovechamiento en los estudios por parte de los compañeros.

Por eso Carmen, con buen criterio y exquisito tacto, pidió una entrevista con la profesora de su hijo. Empezó por reconocerle que era un chico difícil y que le agradecía el interés que ella mostraba.

—Sé que a usted le costará encontrar cosas positivas en mi hijo. Es demasiado inquieto e inseguro y le gusta llamar la atención. He observado que si se siente importante por algo, mejora bastante. Por ejemplo, le he encargado que me recuerde cada día a la hora de comer que tengo que tomarme una pastilla para la tensión, ya que a mí se me olvida. Le felicito por hacerlo y cuidarme, y veo que eso le hace sentirse mejor. También su padre está consiguiendo que lea todos los días un cuento o una breve historia de algún personaje y nos lo explique, como si él fuera nuestro profesor. Parece que está cogiendo cierta ilusión por la lectura.

» Si usted lo cree oportuno, podría felicitarle las pocas veces que esté más atento y a lo mejor va cambiando poco a poco. También puede darle algún pequeño encargo para que se sienta importante, como recoger cuadernos, llevar la lista de los que faltan, etc. Yo se lo agradezco mucho y tengo fe en que usted lo hará.

Pasaron unas semanas y Luisito llevó a su madre una nota escrita de puño y letra de su profesora, en la que decía: «Me alegra comunicarle que Luis ha mejorado bastante después de nuestra entrevista y desempeña estupendamente el cargo de recopilador de historias y anécdotas divertidas que traen los alumnos y que se resumen cada viernes en la última clase.» Entonces Carmen devolvió la misiva a la profesora mostrando su profundo agradecimiento por el trato tan positivo y motivador que estaba dando a su hijo.

Conclusión

Siempre hay formas más sensatas, cercanas, alentadoras e inteligentes de proceder. Tacto y buenas maneras son fundamentales entre padres y profesores.

10. Margarita. Cuando impedimos que piensen y decidan por sí mismos

Margarita tiene 17 años, es una joven brillante en los estudios y ha sido educada en un hogar estricto y un tanto despersonalizador. Los padres toman siempre las decisiones sin contar con los hijos: la ropa que han de llevar, los amigos que han de tener, incluso la música que deben oír o el deporte que deben practicar.

Un día, hace dos años, recién cumplidos los 15, Margarita explotó y a gritos y llorando le dijo a sus padres que la dejaran ser ella misma, que quería pensar por su cuenta y ser una persona: «¡Dejad de protegerme, de hacerme las cosas, de decirme cómo tengo que actuar!» Pero sus padres no supieron entenderla, la calificaron de soberbia y desobediente, y a partir de ese momento rompieron su comunicación con ella.

Desde entonces Margarita no ha salido de una fuerte depresión por la que durante dos años ha estado tomando pastillas. Cuando llega a mi consulta, es porque lleva un tiempo diciendo que se quiere morir.

Valoración y análisis del problema

Una joven que desde niña ha tenido que decir que sí a lo que sus padres le proponían, a la que no le han permitido tener opinión ni criterio sobre nada, a quien no le han dejado hacer nada por sí misma, se rompió en pedazos psicológicamente al llegar a los 15 años, con toda razón. Sus necios padres no le permitían desarrollar su autoestima y sus habilidades sociales, y por si fuera poco la hicieron sentirse culpable de su respuesta. La superprotección y el impedimento de que hiciera uso de su libertad la condujeron al abandono de sí misma, a la indefensión aprendida, y en definitiva a la depresión.

La primera vez que vi a sus padres les pregunté: «¿Son conscientes ustedes de la barbaridad educativa que han cometido con su hija?» Y su respuesta fue: «Sólo pretendíamos librarla de los peligros que encierra la vida, y que fuera como nosotros queríamos.» Tras dos meses de intenso trabajo con ellos, pude conseguir que cayeran en la cuenta del daño que le habían hecho y de cómo debían obrar en el futuro para que Margarita recuperara las ganas de vivir y saliera del estado de postración psíquica en que se encontraba.

Por otro lado, mi trabajo con su hija consistió en analizar las causas de su estado actual y en proponerle un plan de acción, diseñado por los dos, para que recuperara lo antes posible el tiempo perdido. La verdad es que, en esta ocasión, sus padres me dejaron hacer y se dejaron aconsejar.

Plan de acción

Éste es el plan de acción que Margarita y yo diseñamos, cuyo objetivo principal era que recuperara, a sus 17 años, la capacidad de elegir, así como el ritmo y la forma de hacerlo.

«—En primer lugar, a partir de ahora has de elegir tú todas las cosas personales: peinado, vestidos, zapatos, forma de decorar tu habitación...

»—En segundo lugar, no permitas que tus padres hagan o decidan nada por ti sin contar con tu opinión; aprende a tomar decisiones, a equivocarte y a corregir tus errores.

»—En tercer lugar, es fundamental que conserves las amistades que te gusten, aquéllas con las que te sientas bien, y no te sientas obligada con aquellas que te han impuesto y no soportas.

»—En cuarto lugar, elabora una lista de esas cosas que te han obligado a hacer y no te gustan, o que te han perjudicado, y quédate sólo con las que, según tu criterio, son aceptables. Prepara también una lista de las cosas que vas haciendo por ti misma, por tu propia determinación, sin ser coaccionada por nadie.

»—Finalmente, procura mantener una buena relación con tus padres, pidiéndoles su opinión en lo que creas conveniente, pero nunca obres en contra de tus deseos o intereses por agradarles a ellos. Tienes que aprender a decir ¡NO! con respeto, pero con firmeza. Nadie puede exigirte, ni tus padres, que seas una fotocopia de ellos. Tú eres tú, una persona única, distinta e irrepetible, y nada le da derecho a nadie a despojarte de tu mismidad, de tu libertad.»

A los cuatro meses de trabajo y tratamiento, Margarita era una persona bastante segura de sí misma, con ilusión por estudiar, con buenos amigos y con capacidad para tomar sus propias decisiones. Ya no necesitaba tomar ningún psicofármaco porque había recuperado la alegría de vivir y la sensación de ser y sentirse persona.

* * *

Unas palabras para terminar. He escrito este libro con el vivo deseo de que sea una herramienta de trabajo sencilla de manejar por cualquier educador. Mi sueño es que llegue a las manos de todos los padres y profesores de nuestro país y voy a poner todo mi empeño en ello sólo por una razón: sé que funciona, que si se aplican de forma adecuada estos principios y claves pedagógicas, las posibilidades de éxito son tremendas. Por eso pido a todos los que me quieran ayudar que, si obtienen resultados notables al llevar a la práctica las enseñanzas de esta obra, tengan a bien comunicarme el caso, explicando el problema en cuestión, las técnicas utilizadas y los resultados experimentados. Pueden dirigirse a: www.bernabetierno.net

Apéndices

1. Inculcar disciplina

La mayor parte de los conflictos, problemas y dificultades que tienen los padres con los hijos y los hermanos entre sí se resolverían fácilmente si se establecieran desde el principio unas normas o pautas de conducta sencillas y claras sobre lo que se debe o no se debe hacer y las consecuencias que se derivarían de romper o no cumplir dichas normas.

Cualquiera que pretenda inculcar una disciplina coherente e inteligente que suscite colaboración y buena disposición, y que enseñe al niño a ser responsable de sus propios actos, a tener criterio propio y capacidad de tomar decisiones acertadas, deberá establecer unas normas de conducta a cumplir y unos límites precisos. *No hay educación sin disciplina*, sin actos positivos que generan hábitos positivos.

¿QUÉ SON LAS NORMAS?

Son pautas o reglas establecidas en principio por los padres y consensuadas y admitidas por los hijos, que se deben cumplir y a las que hay que adaptar las conductas, a ser posible con el convencimiento de que son imprescindibles para el buen funcionamiento de la vida familiar. Se trata de planteamientos muy precisos de lo que hay que hacer, cómo y cuándo, así como de las consecuencias que se derivan si no se cumple y hace lo que es debido.

Las normas son, además, una forma práctica y cercana de comunicación entre el hijo y sus padres, que le proporcionan una idea clara de lo que es comportarse bien, de lo que es bueno y malo, de lo que le conviene y lo que no. Sirven para organizar la convivencia familiar y para que todos los miembros que componen el hogar sepan cuáles son sus deberes y obligaciones.

Mediante las normas, los padres enseñan y transmiten a sus hijos actitudes y valores, conductas deseables, buenos modales...; mediante las normas, los padres mantienen su autoridad en casa y enseñan a comportarse a sus hijos, los cuales se sienten seguros porque saben qué es lo que se espera de ellos, a qué atenerse y cómo orientar su conducta.

Es importante ir adaptando las normas y los límites establecidos al cambio y al desarrollo madurativo del niño o del adolescente, a sus nuevas condiciones de vida, pero siempre de forma razonada y consensuada. Por ejemplo, un hermano mayor que estudia 2.º de Derecho no debe cumplir las mismas normas que su hermano de 10 años, por razones evidentes de edad y por la necesidad de adaptarse a medios distintos.

¿CÓMO DEBEN SER LAS NORMAS?

Ya he comentado que, fundamentalmente, deben ser *pocas*, *razonables*, *claras* y muy *fáciles de entender*. Igualmente, es importante establecer un límite de tiempo para cumplirlas y dejar claro cuáles serán las consecuencias para quien no las cumpla.

Aunque las normas deben establecerlas los padres, mi consejo es que sean discutidas y consensuadas por todos los miembros de la familia; que cada uno pueda hablar y exponer sus opiniones al respecto. Hemos de estar seguros de que todos, hasta los más pequeños, las han comprendido y saben cómo y cuándo deben cumplirlas. Es muy práctico que cada hijo escriba en una cartulina las 5-6 normas básicas que tiene que cumplir y las coloque bien a la vista en su habitación, por ejemplo encima de la mesa de estudio.

Asuntos cotidianos, como los que a continuación se describen, han de regirse por normas claras. Así:

— La hora de acostarse y de levantarse.
— La hora del desayuno, la comida y la cena.
— El aseo corporal y la muda de ropa interior, así como la limpieza del calzado.
— La limpieza de la habitación: el orden de la mesa de estudio, hacer la cama...
— La hora de hacer las tareas del colegio.
— La distribución de las tareas comunes del hogar.
— El tiempo de ver la televisión, jugar al ordenador o a la consola, hablar por teléfono...
— La adecuada utilización del móvil.
— Las pagas y la correcta utilización del dinero.
— La compra de ropa, juguetes, material deportivo y escolar...

CÓMO ENSEÑAR Y APLICAR LAS NORMAS

Después de haber especificado las normas de obligado cumplimiento por parte de todos, padres incluidos, es lógico que los hijos, sobre todo los más pequeños, encuentren dificultades para cumplir lo pactado. Al principio necesitarán ayuda: que les recordemos las normas que han olvidado y estar prevenidos para saber cómo actuar si se resisten a cumplirlas, montan escenitas, recurren al chantaje o a las llantinas y pataletas. La firmeza más absoluta en exigir que se cumpla lo acordado es fundamental. En cuanto los padres hagan concesiones o muestren la menor debilidad, con toda seguridad el niño sabrá aprovecharse y no cesará en su intento de minar esa firmeza inicial hasta conseguirlo.

Además de la firmeza, los padres pueden utilizar como reforzantes los principios o claves para la educación inteligente, números 3, 4, 5, 6 y 7:

Es importante que los padres sepan armonizar y conjugar la exigencia en el cumplimiento de las normas establecidas y la comprensión, sobre todo al principio, dándoles a los hijos un margen de tiempo para que se vayan habituando a hacer lo que deben hacer, aunque les cueste.

LA AUTODISCIPLINA

La autodisciplina que pretendemos enseñar a los hijos para que sepan aquello que deben hacer y les conviene, aunque sea difícil y cueste mucho esfuerzo y constancia, se aprende de la vida disciplinada de los padres. Educar en disciplina es exigirles una conducta adecuada y el cumplimiento de las normas pactadas, pero es imprescindible que los padres nos convirtamos en el mejor ejemplo a imitar respecto a aquello que pedimos y exigimos.

Pongamos un ejemplo:

Luis tiene sólo 9 años, pero en apenas una semana deberá hacer en el colegio dos controles: el de matemáticas y el de inglés. Lo cierto es que lo ha dejado para el último momento y, en tales casos, las normas pactadas con sus padres dicen que, para añadir una hora más al estudio cada día y poder ponerse a punto en dichas asignaturas, Luis se acostará un poco antes y se levantará a estudiar una hora antes.

Ante las quejas o la resistencia de Luis, el padre puede decirle:

—Te comprendo, hijo, sé lo que sientes y lo que te cuesta sacrificarte, porque hace poco me vi en una situación semejante a la tuya: tuve que sacar más de una hora por día de trabajo para entregar un proyecto, quitándomela del tiempo libre y del sueño. Lo había ido dejando y tuve que pagar el precio de hacer en una semana lo que podría haber hecho sin prisas en dos meses. Ahora te sucede a ti lo mismo que a mí. Si quieres aprobar esos controles, no hay otra alternativa que sacar esa hora más por día. Yo ya he aprendido para que en la próxima ocasión no me vea obligado a poner remedio a última hora; llevaré las cosas al día, que es lo más práctico e inteligente.

Lo más probable es que, ante el ejemplo de su padre, Luis aprenda bien la lección y entienda que todo aquel que no hace o cumple lo que debe en su momento, tendrá que pagar un precio y sacrificarse después.

LA DISCIPLINA EN LA PRÁCTICA DE LA VIDA DIARIA

La mayor parte de mis lectores conocerá mi «Ficha de autoevaluación del estudiante» que empecé a utilizar, allá por los años setenta del pasado siglo, con niños y jóvenes poco constantes, que no se organizaban y, en general, con fracasados escolares. En esta ficha, las variables a tener en cuenta son las siguientes:

— Atención en clase (At).
— Preguntar al profesor (Pp).
— Salir voluntario, participar (Sv).
— Estar a gusto, disfrutar de la clase (Eg).
— Hacer tareas y trabajos en casa (Ta).

El estudiante debe valorarse a sí mismo dándose una puntuación en cada uno de estos aspectos, y en cada asignatura, nada más terminar la clase. Puedo decir que son incontables las personas que aprendieron en su momento a utilizar esta ficha y que me han comentado cuánto les ayudó. El lector interesado en este tema puede consultar mi libro *Las mejores técnicas de estudio* (pp. 122-125), publicado en esta misma colección. Desde siempre he confiado en las fichas y en los cuadernos de autoevaluación para estudiantes, por la gran ayuda que aportan en el aprendizaje de la autodisciplina.

FICHA DE AUTODISCIPLINA

FICHA de autocontrol (1.ª semana de marzo) Nombre: Pedro Apellido: García
Lo que tengo que hacer: lunes, martes, miércoles, jueves, viernes, sábado, domingo. Cuándo lo tengo que hacer: 2 marzo, 3 marzo, 4 marzo...
Levantarme a tiempo (8.00)
Aseo completo: ducha, peinado, dientes... (8.15)
Desayuno (8.45)

Ordenar mi habitación (cama y mesa de estudio)
Cambiarme ropa interior
Limpiar zapatos
Ayudar en casa (poner la mesa, recoger...)
Acostarme a la hora (22.00)
Fijarme en lo bueno de mi hermano/a
Hacer las tareas del cole

Calificación:

* Muy Bien + Bien = Regular • No lo he hecho.

FICHA DE REFLEXIÓN

Se trata de un cuestionario para padres que han de contestar antes de realizar una intervención educativa:

1. ¿Cuáles son los problemas más graves que tengo con mi hijo?
2. ¿Cuál es el más importante, el que requiere una más pronta solución?
3. ¿Cómo actúo, cómo reacciono ante el problema, ante su conducta?
4. ¿Cómo responde mi hijo a mi actitud?
5. ¿Siempre existió este problema? ¿Cuándo empezó? Ver las causas.
6. ¿El problema se presenta en situaciones y momentos concretos, siempre?
7. ¿He utilizado alguna estrategia que me haya dado buenos resultados? ¿Cuál?

8. ¿Qué estrategias preveo que me pueden dar mejores resultados?
9. ¿Estamos de acuerdo los padres en cuanto a las estrategias o medidas a tomar?
10. Definir las estrategias concretas y aplicarlas e ir observando en qué medida nuestro hijo cambia a mejor y se soluciona el problema o conflicto que hemos abordado.

FICHA RECORDATORIO PARA UNA INTERVENCIÓN EDUCATIVA INTELIGENTE

1. AMA a tu hijo incondicionalmente y ama y valora tu condición de padre o de madre educador/a.
2. LAS PALABRAS, lo que le digas y la forma en que se lo digas, provocan colaboración o rechazo, no lo olvides.
3. SUS SENTIMIENTOS son su punto débil; lee sus deseos, sus temores, sus dudas, sus esperanzas, sus desánimos. Muéstrate empático y estará de tu parte.
4. TUS DEFECTOS Y TU VULNERABILIDAD, tus limitaciones, tus carencias, tu fragilidad son el mejor reconstituyente, la medicina más efectiva para que tu hijo aprenda a aceptar sus propia fragilidad, se haga fuerte y no desmaye en sus propósitos de mejora y superación.
5. ESPERA LO MEJOR de tu hijo y acabará dándotelo.
6. TEN FE Y CONFIANZA en su capacidad y en su valía. Da por hecho que logrará lo que se proponga y díselo abiertamente.
7. BUSCA ALGO BUENO Y VALIOSO en el menos motivado y el menos capaz de tus hijos y lo encontrarás.
8. ESTABLECE LÍMITES, inculca disciplina y exige que se cumplan. Di ¡NO! cuando sea necesario.
9. EVITA LOS CASTIGOS por su ineficacia. Hay mejores alternativas.

10. SUFRIR LAS CONSECUENCIAS de los propios errores por acción u omisión enseña más que todos los castigos.

11. EDUCAR EN LA RESPONSABILIDAD es tanto como ser capaz de tomar decisiones y tener la voluntad de hacer lo que es debido.

12. LOS CONFLICTOS ENTRE HERMANOS, salvo en caso de producirse daños físicos o psíquicos, han de solucionarlos ellos mismos.

13. NO TUTELES a tu hijo diciéndole constantemente lo que debe o no debe hacer.

14. NO SEAS TAN NIÑO O ADOLESCENTE como tus hijos en sus actitudes y reacciones inmaduras.

15. DESDE LA CUNA se forma el carácter y también los hábitos positivos o negativos.

16. SI TE HAS EQUIVOCADO COMO EDUCADOR, admite tus fallos y empieza de nuevo corrigiendo lo que debas.

17. POTENCIA LA INDIVIDUALIDAD de tu hijo como ser único e irrepetible.

18. PROPICIA LA COMUNICACIÓN BILATERAL, de mutuo respeto; escucha y mantén una actitud dialogante y de empatía.

19. PLANIFICA Y DISEÑA PREVIAMENTE TODA INTERVENCIÓN EDUCATIVA, no improvises.

20. SÓLO ERES UN APRENDIZ DE EDUCADOR, así que sigue educándote para educar.

21. NO HAY EDUCACIÓN HUMANA sin educación moral, sin formación en valores.

22. LA MISMA CONVIVENCIA CONYUGAL Y FAMILIAR es determinante en el futuro educativo de tus hijos; tenlo muy presente.

OTRAS MEDIDAS ADICIONALES QUE DEBEN TENER EN CUENTA PADRES Y EDUCADORES QUE PRETENDAN LLEVAR A CABO UNA ACCIÓN INTELIGENTE

1. Dile a tu hijo, cuando se porta bien y hace lo que debe, lo feliz que te sientes por su buen comportamiento.
2. Ignora cualquier conducta o actitud inaceptable encaminada a atraer tu atención.
3. Reconócele sus progresos, mejoras y esfuerzos privada y públicamente.
4. Utiliza incentivos y reconocimientos inmediatamente después de que ocurran las conductas deseables.
5. Ofrécele alternativas a elegir que fomenten su implicación, su independencia y la toma de decisiones de manera responsable.
6. Cuando tu hijo/a anticipe situaciones conflictivas y reacciones incontroladas, distráele o dile que esperas de él una respuesta sensata y bien pensada.
7. Si pretendes fomentar determinadas conductas, ofrécele modelos y ejemplos de personas que son felices y se sienten a gusto llevando a cabo esas conductas.
8. Ante una mala acción, expresa de manera clara y firme tu enfado durante breves segundos. Inmediatamente después, recuérdale que es bueno y capaz de obrar bien, como demostró en alguna ocasión concreta en la que le felicitaste por su buena conducta, y dile que esperas de él una reacción positiva de cara al futuro.
9. Exígele con amable firmeza que dedique un tiempo a la reflexión serena sobre su propia conducta inadecuada y sobre cómo se siente cuando se comporta correctamente.
10. Nunca debe ser rentable para tu hijo una mala conducta; al contrario, tienes que dejar que las consecuencias de sus reacciones inmaduras y primarias, de su irreflexión y falta de control, le demuestren que estaba en un error. Además, en esos casos debes retirarle concesiones o privilegios a los que le dé mucho valor e importancia.

LAS CLAVES PARA UNA EDUCACIÓN INTELIGENTE TAMBIÉN SON EFICACES EN OTROS ÁMBITOS

Independientemente de que se trate del mundo de la educación, del trabajo o de las relaciones humanas en general, una acción-intervención es inteligente si consigue despertar y activar la buena voluntad y la colaboración de la persona con la que se ha entrado en conflicto: hijo, esposa, alumno, vecina, jefe, compañero... Toda acción-intervención inteligente proporciona un camino fácil y atractivo hacia la meta, objetivo, conducta o respuesta que tratamos de inducir.

Como dije en el capítulo «Consideraciones previas y requisitos para una educación inteligente», la pregunta fundamental es: «¿Cómo lograr que una persona que se encuentra en una situación crítica o muy problemática, o tiene una conducta improcedente, peligrosa, irresponsable o delictiva, no persista en esa actitud (A) ni tampoco vaya a peor (B), sino que, por el contrario, cambie su rumbo y elija aquello que es más adecuado y conveniente (C)?»

En los casos más complicados de la vida cotidiana, como los que señalo a continuación, obtendremos estupendos resultados si aplicamos los principios de una intervención inteligente.

1. EL JEFE QUE HUMILLA AL JOVEN TRABAJADOR PARA REAFIRMARSE A SÍ MISMO

Viene a consulta Javier, de 19 años, un joven de casi dos metros, muy fuerte y atractivo. Le acompaña su madre, muy nerviosa y preocupada porque su hijo, que lleva menos de un año trabajando en un almacén de productos de belleza, ya no soporta más a su jefe. Constantemente le humilla ante más de veinte chicas jóvenes que también trabajan allí. Javier está harto de esa situación, pero no quiere perder su puesto.

Intervención inteligente

Esto fue lo que le dije a Javier:

—Lo primero que tenemos que hacer es averiguar por qué tu jefe se mete tanto contigo. Para ello tienes que reducir tu estatura en casi medio metro, ser más bien feo y convertirte por unos instantes en la persona de tu jefe, sintiendo lo que él siente (clave 3). Se siente fatal, seguramente, porque todas las chicas se fijan más en ti que en él, y lo que necesita es reafirmar su personalidad. Si tú pretendes que controle su forma de comportarse y que cambie de actitud hacia ti, debes mostrar tu fragilidad y tus limitaciones (clave 4), esperar lo mejor de él (clave 5), tener fe en su buena voluntad (clave 6) y buscar algo bueno de entre todas sus cosas malas (clave 7).

»Resumiendo estas claves o estrategias que te he aconsejado, deberías hablar con tu jefe en los siguientes términos: «Por la forma en que me trata, y dado que me corrige constantemente, estoy viendo que tengo mucho que aprender de usted. Siento no aprender más rápido y, al parecer, mostrar tanta torpeza, pero sé que con su ayuda lo lograré. Mi ilusión es poder ser como usted dentro de unos años, así que ya verá cómo mejoro cada día. No puede haber otra razón en su forma de corregirme que su deseo de ayudarme.»

En la primera ocasión que tuvo, el joven y apuesto Javier habló con su jefe en un tono calmado y firme. Repitió, palabra por palabra, el discurso anterior, que prácticamente se había aprendido al pie de la letra. Como siempre había sido menospreciado públicamente, él también le dio su respuesta inteligente delante de las compañeras. Su intervención inteligente dio resultados estupendos muy rápidamente. El acomplejado «jefecillo» no estaba preparado para responder a Javier y apenas si acertaba a tartamudear: «Yo sé, sé queeee, eres un buen chi, chico y pue, puedes dar mucho de ti. Estás aprendiendo bien y me gusta lo que me acabas de decir.»

Desde ese día, todo cambió para Javier, hasta el punto de que cuando vino a verme un mes más tarde, me contó que el jefe era ahora tan distinto, incluso tan servicial y bueno con él, que le daba pena. «No me ha dejado pagar el café ningún día y no sabe qué hacer conmigo para tenerme contento.»

2. LA VECINA COTILLA Y FALSA QUE, AUNQUE TE PONGA BUENA CARA, CUANDO TE DAS MEDIA VUELTA TE CRITICA Y HASTA LEVANTA FALSOS TESTIMONIOS DE TI

Tu vecina, a la que recurres en momentos de apuro y ella hace otro tanto cuando te necesita, tiene el defecto de criticar a todo el mundo, incluso a ti. Cuando estáis juntas se muestra afectuosa y te admira por como eres y por lo que tienes, pero en cuanto le das la espalda se convierte en tu enemiga. No es una mala mujer, pero no deja títere con cabeza.

¿Cómo hay que comportarse con una persona así? ¿Cuál es la mejor forma de manejar una situación problemática como ésta?

Intervención inteligente

Recurramos a las medidas adicionales que antes hemos visto:

— Ignorar sus conductas inaceptables.

— Sonreírle cuando hable bien de alguien.

— Cada vez que nos critique, utilizar incentivos como alabar su comprensión para con los demás.

— Distraer su atención de los comentarios y cotilleos, esperando de ella un comportamiento más tolerante con los demás.

— Mostrar admiración por personas que jamás levantan falsos testimonios ni «despellejan» a su prójimo.

— Ante una de sus acciones reprobables, dejar claro nuestro enfado durante breves segundos y al momento recordarle que es una persona capaz de obrar bien, como ha demostrado en múltiples ocasiones.

— Invitarla a reflexionar durante unos minutos sobre su conducta inadecuada y también sobre lo bien que se ha sentido siempre que se comportó de manera generosa, comprensiva y positiva con los demás.

— Que compruebe que su mala conducta no le es rentable y que no estamos a gusto cuando cotillea, airea cosas íntimas o se recrea en las miserias y debilidades ajenas.

El caso real que acabo de presentar se solucionó en menos de dos meses. Mi clienta puso en práctica fielmente estas medidas adicionales y su vecina cambió de forma muy notable; incluso llegó a reconocerle que su tacto a la hora de hablarle y tratarla la habían convertido en mejor persona.

3. ANTE UN POSIBLE MALTRATADOR

El maltratador es, por lo general, un ser desgraciado que, en una tercera parte de los casos estudiados, ha sido maltratado física o psicológicamente por sus progenitores u otras personas. El odio, la frustración y la rabia acumulada se enquistan en el alma del maltratado, que tiene muchas posibilidades de convertirse en maltratador.

Nadie piense que estoy justificando nada. Es evidente que al maltratador hay que impedirle por todos los medios que haga el menor daño, pero un psicólogo siempre ha de ver las causas de la conducta humana para poder arbitrar remedios adecuados. Al final, todo es cuestión de una buena e inteligente educación del ser humano, como ya se ha dicho, para que sea capaz de proporcionarse felicidad y buen trato a sí mismo y hacer otro tanto con sus conciudadanos. No olvidemos que un 70 por ciento de los maltratadores lo son por otras causas, pero no por haber sido maltratados.

La educación inteligente, basada en principios éticos y valores humanos, es la mejor prevención y el mejor antídoto contra el maltrato y la violencia. Pero, ¿qué puede hacer una persona —hombre o mujer— cuando convive con un maltratador, aparte de denunciar su situación? ¿Sirven de algo las claves para una intervención inteligente en estos casos? Sin la menor duda. Dedico estas líneas, que sólo pretenden ayudar, a quienes padecen maltrato o corren el peligro de padecerlo. Es importante poner todos los medios para evitar, en algunos casos, incluso una tragedia.

¿Qué es lo que no debe hacerse nunca ante un individuo impulsivo, violento, que ya ha maltratado en otras ocasiones?

Es de puro sentido común saber que no hay que provocarle, maldecirle, insultarle o recriminarle en privado o en público. Hay determinados insultos, *per se* ofensivos, que jamás deben decirse a nadie, pero menos a una persona muy violenta y sin control sobre sus nervios, porque las consecuencias pueden ser graves. Echar leña al fuego o tirar una cerilla en un depósito de gasolina es una locura, un desatino que, sin ninguna duda, producirá una explosión y un incendio; pero no pensamos con la misma lógica cuando con nuestras actitudes y palabras hirientes provocamos a un incontrolado, a un ser que está esperando el menor atisbo de contrariedad a sus planteamientos para responder como un energúmeno con violencia y furia desmedida.

Recuerdo el caso de un hombre de mediana edad que vino a mi consulta por propia voluntad acompañado de su esposa y que reconocía que, en cuatro o cinco ocasiones, le había pegado a su mujer porque llegaba a casa con varias copas de más y que ella no cesaba de llamarle —con perdón— «borracho», «maricón» e «hijo de puta». Decía ser consciente de su mala acción, pero se justificaba diciendo que las reiteradas ofensas de su esposa, acompañadas de un gesto de odio, asco y desprecio, eran más fuertes que el poco control que tenía sobre sí mismo.

Pude convencer a aquella buena mujer de que era más práctico e inteligente no enfrentarse con su marido, precisamente en esos momentos, y dejarle «dormir la mona». Y cuando estuviera nuevamente sobrio, plantearle en serio qué debía decidir sobre su propio futuro, porque ella no aguantaba un día más soportando semejante situación. Si él no cambiaba de actitud, orientaba su vida y se ponía en tratamiento de inmediato, irían a la separación.

¿Cómo actuar cuando nos enfrentamos a una persona que está fuera de sí y espera la menor oportunidad para hacernos daño física y psicológicamente?

En estos casos debe primar el sentido común, la inteligencia, que nos dice: «Lo primero no provocar ni desafiar a la fiera.» En consecuencia, se deben aplicar de inmediato los siguientes principios:

— Exquisito cuidado en lo que dices y en cómo lo dices (clave 2).
— Empatía: leer los sentimientos del otro, ponernos en su lugar y darnos cuenta de que está fuera de sí y con deseos de descargar su violencia (clave 3).

De momento sólo se puede hacer esto y tratar de alejarse de la persona violenta, retirándose a otra habitación y no dándole motivos para que active sus mecanismos de ataque. Alguien puede pensar que esta actitud es de cobardía y yo digo que es de prudencia y sabiduría. Lo contrario sería una temeridad y, además, una estupidez que podría acarrear graves consecuencias.

¿QUÉ HACER DESPUÉS?

Cuando la persona esté serena, y ante gente cercana o mejor ante un experto (psicólogo, médico, abogado), hay que dejar constancia de la situación y exigir un cambio; no valen las falsas promesas del tipo «no volverá a ocurrir» y seguir adelante como si tal cosa. El violento, maltratador en potencia o de hecho, debe ponerse en tratamiento. Se le pueden dar una o dos oportunidades, pero si no se corrige hay que denunciar el caso con todas las consecuencias. Con esta decisión estaremos aplicando el principio 8, que defiende que hay que actuar con firmeza, establecer límites y decir ¡NO! cuando es preciso.

Si la persona violenta se esfuerza en mejorar su conducta, hay que echar mano de algunas de las medidas adicionales para una acción inteligente, como la 1 y la 3, que aconsejan sorprenderla cuando hace lo que debe y se porta bien, diciéndole lo feliz que nos hace su comportamiento, y reconocer pública y privadamente sus progresos; o la medida 7, que recomienda ofrecerle ejemplos de personas con su mismo problema que ya lo han superado y se sienten muy felices.

Muy aconsejables son también los principios 8 y 9: expresar el enfado durante breves segundos y, pocos instantes después, recordarle que es buena persona, capaz de mejorar como lo ha demostrado ya en otras ocasiones; y exigirle con amable firmeza que dedique un tiempo a la reflexión serena sobre su propia conducta inadecuada. En el caso que nos ocupa, la esposa le puede recordar cómo se siente de mal después de proceder violentamente y, por el contrario, hacerle reflexionar sobre lo a gusto que se encuentra cuando se comporta de forma respetuosa y amable, con pleno control de sí mismo.

Los tres casos descritos son una simple muestra, un ejemplo, de que siempre podemos —y debemos— actuar de manera más sensata, conveniente, con sentido común, inteligente... con el fin de lograr que la persona con la que entramos en conflicto se sienta impulsada a cooperar de buena voluntad en lugar de manifestar rechazo, oposición o reacciones violentas y descontroladas.

II. La educación de los más inteligentes. La asignatura pendiente de nuestro sistema educativo

Por Josep de Mirandés i Grabolosa

Presidente de la Asociación de Padres y de Niños Superdotados de Catalunya (AGRUPANS), director del Instituto Catalán de Superdotación y de la revista Ensenyament, *y miembro de la Junta Directiva de la Confederación Española de Asociaciones de Superdotación (CEAS).*

1. PRESENTACIÓN

Educar a los más inteligentes es la «asignatura pendiente» del sistema educativo. Un asunto importantísimo claramente postergado por las Administraciones Educativas Autonómicas, que han descuidado la necesaria formación tanto de profesores e inspectores de Educación como a los equipos de asesoramiento psicopedagógico.

En el informe «Alumnos precoces, superdotados y de altas capacidades», elaborado por el Ministerio de Educación en 2002, se afirma:

> «El tiempo transcurrido ha puesto de manifiesto por un lado que el tema de los alumnos superdotados es complejo de abordar, y por otro que las políticas educativas llevadas a cabo no han prestado, de manera clara y contundente, una atención específica al tema. Es cierto que sí ha habido aproximaciones para abordar esta problemática, pero una atención específica ha sido claramente postergada.
>
> »Durante décadas la Administración Educativa, al no afrontar de una manera clara y sin subterfugios la atención educativa de los alumnos con necesidades educativas asociadas a la sobredotación intelectual, ha descuidado la formación específica de los profesionales de la educación: profesores, inspectores y los equipos de orientación educativa.»

Este reconocimiento claro y sincero es muy de agradecer, ya que permite afrontar el tema desde la realidad y desde la responsabilidad que corresponde a cada cual.

Por lo general, han sido los padres, constituidos en asociaciones, los que se han hecho cargo del problema. Estas asociaciones han creado o propiciado la creación de los llamados «Centros de Identificación Especializados», cuyos profesionales han establecido una rigurosa doctrina científica y han impulsado las leyes y la jurisprudencia al respecto. Continúa el informe del Ministerio de Educación:

> «Los padres son los primeros educadores y responsables de la educación de sus hijos y no deben esperar que todos los problemas relacionados con ellos se los den resueltos, ni por parte de la escuela ni por parte de la sociedad en general.»

Así pues, para los padres fue decisivo adquirir una formación que hoy sigue siendo fundamental.

Si bien existen muchos y buenos estudios sobre la educación de los más inteligentes, éstos suelen dirigirse a profesionales y especialistas. Es preciso, sin embargo, divulgar los conocimientos básicos para que todos los padres tengan las ideas claras, y es fundamental hacerlo desde el rigor, ofreciendo seguridad. Podría haber tratado el tema en estas páginas de forma aún más amena, recurriendo a un sinfín de anécdotas vividas en los últimos veinte años por el trato de centenares de casos; o desde mi experiencia anterior como profesional de la educación; o desde mi condición de padre de una joven superdotada. Pero he preferido «morderme la lengua» y ofrecer un documento basado en la objetividad y el mayor rigor científico; he dejado hablar a voces más expertas, haciendo sus palabras entendibles para todos los padres y sacando conclusiones de las mismas.

Nos dirigimos, pues, a los primeros educadores y responsables de sus hijos, que son los padres, y también a la mayoría de los profesores que se sienten *maestros* antes que *funcionarios*. No sólo a los padres y profesores de los más de trescientos mil ignorados niños superdotados que hay en España, sino también a los padres de los niños con precocidad intelectual, a los padres de los niños, adolescentes y jóvenes que poseen talentos específicos. Afirmaba recientemente un ilustre catedrático de Pedagogía de la Universidad Autónoma de Barcelona: «En realidad, todos los niños son superdotados o talentosos, porque el que no tiene talento para una cosa lo tiene para otra.»

Despertar y ofrecer recursos a estos desconocidos talentos resulta fundamental. Hay que poner fin a tanto sufrimiento, respetando el derecho de cada uno a ser como es, a ser diferente. Y en el marco del «derecho a la educación en la diversidad», que emana de la Constitución, conseguir una escuela inclusiva e integradora, tolerante y plural; una escuela caracterizada por la comprensión, el respeto y la verdadera igualdad. En definitiva, una escuela *en* y *para* la democracia como supremo marco de la civilizada convivencia que nos hemos dado.

II. EL DERECHO A LA DIVERSIDAD

¿En qué consiste exactamente el «derecho a la diversidad»? Es el ámbito en el que nuestros hijos más inteligentes, al igual que otros colectivos con necesidades educativas especiales, encuentran la respuesta a sus necesidades, a sus problemas, a sus sufrimientos. En su vertiente educativa, es un derecho reconocido en nuestras leyes, defendido unánimemente y ampliado por nuestros tribunales de Justicia; justificado en la doctrina científica e incluso reconocido por las administraciones educativas, no sólo el Ministerio de Educación, sino también todas las consejerías de Educación de los gobiernos autónomos que, en función a las competencias transferidas, son los que tienen la responsabilidad de hacerlo posible. Pero en la práctica se trata de un derecho que sólo se respeta en determinados casos, absolutamente minoritarios. Por ello, posibilitar el ejercicio del mismo sigue siendo una tarea pendiente de nuestro sistema educativo.

En su «Programa de Integración» (1989), el Ministerio de Educación establece:

> «La necesidad de que la nueva escuela dé respuesta a la diversidad de —todos— los alumnos obliga a una renovación del sistema educativo...»

Terrassier explica este derecho de todos en el ámbito escolar. La diversidad de los niños contraría vivamente los sistemas educativos que preconizan la uniformidad de los contenidos y de los ritmos de progresión escolares. A pesar de la fuerte incitación por acomodarse a la norma del sistema, algunos niños, porque presentan un desarrollo demasiado lento, demasiado rápido o heterogéneo, sufren y fracasan.

Esta diversidad de niños constituye un desafío a la capacidad creativa del sistema educativo y de los enseñantes. En la medida en que éstos quieran verdaderamente favorecer el desarrollo y la expansión de todos los alumnos, incluidos los que sean diversos, es indispensable un esfuerzo de creatividad y de inteligencia, es decir, de adaptación de la enseñanza al alumno. Imponer una respuesta educativa única, uniforme, ante la diversidad de niños constituye una actitud extrema no creativa. En la medida en que estos niños van a la escuela para estructurar y alimentar su inteligencia, es absurdo colocarles en clases según su edad cronológica y no teniendo en cuenta su desarrollo intelectual, ya que de esta manera se retrasa su ritmo individual de desarrollo.

Es necesario conocer bien a cada alumno: su personalidad, sus habilidades y dificultades, sus motivaciones, sus centros de interés... En la práctica, supone un esfuerzo renunciar al confort de la rutina, pero los niños que se salen de la norma bien merecen este esfuerzo.

En efecto, ¿por qué un niño precoz, con una edad mental de 11 o 12 años, debe estar en una clase en la que el programa corresponde a un nivel de desarrollo de 8 años? La tendencia a aligerar, a simplificar los programas escolares para ponerlos al alcance de todos los niños, conduce a que los más precoces apenas tengan acceso a los saberes que podrían haber obtenido según sus capacidades. En consecuencia, estos alumnos van a retrasarse en su desarrollo natural debido a la lentitud del ritmo educativo.

Para un sistema educativo, la manera menos creativa de solucionar la cuestión de la diversidad es negar su existencia, así como agrupar ofuscadamente a todos los niños en clases no teniendo en cuenta nada más que su fecha de nacimiento. No tener en cuenta la diversidad de los niños y sus necesidades es un crimen contra la inteligencia y pone de relieve, en términos jurídicos, el «maltrato» o, lo que es lo mismo, la «no asistencia a una persona en peligro». Se trata de reafirmar que el sistema educativo ha de estar al servicio de los niños en su diversidad y no lo contrario.

En la actualidad, cuando el fracaso escolar de un niño está claramente ligado a un motivo de inadaptación pedagógica, el culpable es siempre el niño. ¿Se podría acaso atacar por la vía legal a los responsables de los sistemas educativos por sus errores pedagógicos, como cuando se cometen negligencias médicas? Hasta la fecha estos responsables han gozado de una inmunidad y de una impunidad que no se justifica si se considera que el equilibrio psicológico de un niño debe ser preservado lo mismo que su salud física.

Las jornadas europeas sobre la educación de los más inteligentes, que se celebraron en Valladolid en julio de 1991, permitieron realizar un inventario de los diferentes sistemas educativos, de su evolución, de sus aspectos positivos y negativos en lo que concierne a los niños superdotados. Igualmente, se pudieron elaborar proposiciones inspiradas en el derecho a la diversidad, con el objetivo de liberar la inteligencia de los niños en nuestras escuelas europeas.

El doctor Joaquín Gairín, catedrático de Pedagogía y director del Instituto de Ciencias de la Educación de la Universidad Autónoma de Barcelona, en una reciente entrevista concedida a la revista *Ensenyament*, de la Asociación de Padres y de Niños Superdotados de Catalunya (AGRUPANS), explicaba el alcance que tiene el «derecho a la diversidad»:

> «Esta intención de promover la integración escolar de alumnos con necesidades educativas especiales o la de compensar desigualdades nos parece loable, pero creemos que debe completarse desde otra perspectiva complementaria. Se trata de entender la diversidad como soporte de una serie de valores de importancia capital para la construcción de una sociedad democrática, plural y tolerante. El desarrollo educativo en valores, como la aceptación y el respeto de las diferencias individuales, la solidaridad, la colaboración, la tolerancia o la resolución de conflictos se situaría en esta perspectiva.
>
> »La diversidad puede, pues, entenderse como un proyecto socio-cultural y educativo, que incide tanto en el ámbito de lo macrosocial como de lo microsocial. Así, de nada sirve una atención compensatoria de desigualdades sociales y culturales si el contexto de referencia no se implica en la disminución de los factores de discriminación.

»Alguna vez he escrito que educar en la diversidad no es ni más ni menos que reconocer las diferencias existentes entre las personas. Desde esta perspectiva, hay que entender que lo que puede ser aceptable para personas con determinadas características puede ser también bueno para todas las personas. Supone, en definitiva, pensar en una escuela para todos, que haga suya la cultura de la diversidad y que nos sitúa en un marco de calidad no excluyente para ninguna persona.

»Desde este planteamiento, bajo el respeto a la diversidad se encuentra el reconocimiento de la sociedad democrática y, con él, el derecho de las personas a ser como son y a que se les respete en sus diferencias. Desgraciadamente, una mala interpretación de la idea de diversidad y de la forma de rentabilizar los siempre escasos recursos educativos ha llevado a que, a nivel escolar, se privilegien unos colectivos sobre otros, entrando en contradicción con los mismos principios de la diversidad y de la escuela inclusiva que defienden.»

Es difícil imaginar el «derecho a la diversidad» en un estado dictatorial. Pero más difícil es concebir un estado democrático en el que este derecho se traduzca en la práctica sólo en unas tímidas medidas compensadoras de desigualdades que, difícilmente, pueden alcanzarse.

El «derecho a la diversidad» en la escuela va más allá de la mera integración y de sus medidas puntuales, ya que la escuela ha de dar respuesta a todos y no atender a unos en detrimento de otros. Es el «pluralismo compartido» —en palabras de autores como Lorenzo y Ruedas— el que permite a todos los usuarios adquirir un patrimonio cultural que sostenga el derecho a llevar una vida digna.

III. EL MARCO LEGAL

a. Las leyes

Existe un desarrollo legal sobre el tema, pero en realidad la Constitución (1978) diseña el ámbito legal de actuación, tanto por lo que expresamente determina (Art. 27.2, 4 y 5) en relación con el Artículo 10.1 y el Artículo 14, como al incorporar a los tratados internacionales en el ordenamiento jurídico interno (Art. 96.1) y establecer la interpretación jurídica en conformidad a la Declaración Universal de los Derechos Humanos y a los propios tratados internacionales (Art. 10.2).

En consecuencia, tanto el desarrollo legal posterior, de ámbito estatal, como la legislación y normativa elaboradas por los parlamentos autonómicos han de considerarse en relación a lo señalado y, específicamente, a la luz de lo que han establecido las sentencias judiciales firmes que indicamos en el apartado b), ya que hay que considerar la ineficacia jurídica o derogación tácita de algunos de estos preceptos legales que se pueden encontrar en la Web: www.xarxabcn.net/instisuper

La Convención 20/11/1989 sobre Derechos del Niño, en su artículo 29.1, establece:

> «La educación del niño deberá estar orientada a: a) Desarrollar la personalidad, las aptitudes y la capacidad mental y física del niño hasta el máximo de sus posibilidades.»

En consecuencia, habría que considerar la derogación tácita de cualquier norma legal, presente o futura, que no estuviera orientada al pleno desarrollo «hasta al máximo de las posibilidades» según las aptitudes y capacidades de cada uno, y proceder de inmediato a instar su derogación en la vía jurisdiccional, como ya está empezando a suceder.

b. La jurisprudencia

Cuando un niño ha sido identificado como de alta capacidad intelectual, los padres deben dirigirse al colegio y presentar el dictamen psicopedagógico realizado por un centro especializado, que además tiene que indicar la respuesta escolar adecuada al pleno desarrollo de su personalidad. A veces, cuando el colegio y su equipo asesor oficial no la aplica, los padres acuden a la Justicia. Se trata, por lo general, de casos aislados.

Estas situaciones han permitido, por una parte, conocer la correcta interpretación de las normas legales que hace el Poder Judicial y, por otra, obtener la derogación jurisdiccional de las leyes que restringen el derecho constitucional al libre desarrollo de la personalidad, hasta el máximo de las posibilidades de cada uno, que la Constitución y los tratados internacionales consagran. Ello además de conseguir la inmediata aplicación de la medida escolar que el niño necesita.

Tan sólo en la Comunidad Autónoma Canaria ya son más de veinte las sentencias judiciales firmes del Tribunal Superior de Justicia (Sala de lo Contencioso Administrativo) que han creado una jurisprudencia clara, rotunda y unívoca. Tanto es así que se produce una repetición exacta en los fundamentos de derecho y en el fallo, así como en la condena en costas a la Administración Educativa Autonómica.

Pero la más reciente sentencia (715/2001 de 13 de febrero de 2001) de la Sala de lo Contencioso Administrativo del Tribunal Superior de Justicia de Castilla-La Mancha todavía va más lejos. Además de condenar a la administración educativa autonómica por vulnerar los derechos fundamentales consagrados en la Constitución, ordena al colegio que adelante dos cursos a la niña Bárbara, de seis años, y ordena al equipo de asesoramiento psicopedagógico del centro que realice inmediatamente la adaptación curricular, tal y como indica en su dictamen el Centro de Identificación Especializado.

c. La doctrina científica

La educación de los más inteligentes es un asunto profundamente estudiado en los últimos cien años. Científicos de todo el mundo, especialmente de los países más desarrollados, han publicado sus trabajos y tesis que convergen en lo sustancial y están en perfecta sintonía con la jurisprudencia La principal bibliografía científica sobre este tema se encuentra en la Web: www.xarxabcn.net/instisuper del Instituto Catalán de Superdotación.

Las diferentes administraciones educativas van asumiendo los resultados científicos de las investigaciones, aunque con resistencias cuando afecta a los presupuestos económicos o a la necesaria formación del profesorado y de los miembros de sus equipos de asesoramiento psicopedagógicos.

Hay que destacar sobre todo el importante trabajo de síntesis científica realizado por el Ministerio de Educación y Cultura, ya que tiene el valor añadido de su implicación ejecutiva en el tema, en su ineludible compromiso con la sociedad y como fuente de derecho. Me refiero a su informe «Alumnos precoces, superdotados y de altas capacidades», publicado por la Secretaría General Técnica del Ministerio. Nos referiremos al mismo con la abreviatura: MEC-2000.

a. ¿Qué grupos podemos formar, para un correcto estudio, con estos chicos y chicas más inteligentes?

El Ministerio de Educación propone los siguientes:

SUPERDOTADOS	Alumnos que, al presentar un nivel de rendimiento intelectual superior en una amplia gama de aptitudes y capacidades, aprenden con facilidad cualquier área o materia.
TALENTOSOS	Alumnos que muestran habilidades específicas en áreas muy concretas. Así se puede hablar de talento académico, talento matemático, talento verbal, talento motriz, talento social, talento artístico, talento musical, talento creativo.
PRECOCES	Alumnos que muestran cualidades de superdotación o de talento a edades tempranas y que posteriormente, en la adolescencia o adultez, no mantienen esa diferencia significativa respecto a su grupo normativo en edad.
PRODIGIO	Sujeto que realiza una actividad fuera de lo común para su edad. Produce algo que puede competir en un campo específico con los adultos. Se caracteriza por la competencia específica prematura y admirable.
GENIO	Persona que debido a sus excepcionales capacidades en inteligencia y creatividad ha producido una obra importante para la cultura en que vive y que la sociedad reconoce y exalta. Se caracteriza por la competencia general y específica.

	La persona que, dentro de la superdotación y compromiso con la tarea, logra una obra genial. Antes se identificaba al genio con un C.I. extraordinario, superior a 170/180. Es falsa la comparación entre «*genio*» y «*superdotado*». A veces al superdotado se le exigen actuaciones propias del genio.
EMINENCIA	Persona que debido a la perseverancia, oportunidad, azar, suerte, etc. ha producido una obra genial sin que el nivel intelectual sea el factor determinante. Se caracteriza por la competencia concausal.

De lo expuesto anteriormente se desprende que en España pueden existir más de 300.000 alumnos superdotados y unos 8 casos de genios o prodigios en las etapas escolares no universitarias. De estos alumnos, sólo unos 2.000 han sido diagnosticados como tales.

Según Terman y Oden (1947), para tener una aptitud muy destacada en un área determinada es necesario, entre otros aspectos, tener un C.I. situado entre 110 y 130 aproximadamente. Los superdotados suelen tener uno o más talentos añadidos.

Los alumnos precoces suelen ser aquellas personas que, mucho antes del tiempo considerado como «normal», muestran en áreas concretas una aptitud o habilidad excepcional. Se caracterizan, fundamentalmente por la *competencia específica prematura*. Suelen ser los sujetos que tienen un desarrollo temprano en una determinada área. La mayoría de los niños superdotados son precoces, sobre todo en desarrollo psicomotor y en lenguaje. Pero no significa que, cuanto más precoz sea un niño, éste sea más inteligente. El niño precoz no tiene por qué ser un superdotado.

A modo de resumen podemos decir que:

- Entre los *superdotados* y los *talentosos* existen grandes diferencias individuales. No son grupos homogéneos. Su estabilidad en los C.I. es una de las pocas cosas que tienen en común.
- Al menos un alumno por aula se puede considerar como *superdotado*.
- Los principales identificadores del potencial excepcional permanecen constantes, pero las expresiones de los mismos varían de acuerdo con las circunstancias medioambientales.
- Actualmente puede afirmarse que los criterios que determinan la posición del superdotado y del talentoso van evolucionando a medida que lo hacen las teorías de la inteligencia.
- A medida que los alumnos van avanzando en su desarrollo evolutivo, la estabilidad del C.I. es mayor.
- No existe una relación directa entre altos niveles alcanzados en el C.I. y el éxito escolar o profesional posterior.
- La precocidad es un fenómeno fundamentalmente evolutivo, mientras que la sobredotación y el talento son fenómenos cognitivos estables.

En cuanto a los niños con *precocidad intelectual* el Ministerio de Educación afirma: «A los alumnos precoces habrá que considerarlos como alumnos con necesidades educativas especiales para efectos educativos.»

Y en lo que se refiere a los *brillantes* o *muy brillantes*, hay que tener en cuenta que son niños muy diferentes a los superdotados, por lo que necesitan una educación distinta. Veamos, esquemáticamente, las principales diferencias según Winner (1996).

NIÑOS BRILLANTES	NIÑOS SUPERDOTADOS
• Saben las respuestas.	• Hacen preguntas.
• Interesados.	• Sumamente curiosos.
• Prestan atención.	• Consiguen implicarse física y mentalmente en las tareas que son de su interés.
• Trabajan duro.	• A pesar de que no trabajan duro, consiguen buenas puntuaciones en las pruebas.
• Contestan a las preguntas.	• Preguntan las respuestas.
• Disfrutan con compañeros de su misma edad.	• Prefieren adultos o niños más mayores.
• Buenos para la memorización.	• Buenos para prever y adivinar.
• Aprenden fácilmente.	• Aburridos. Ya conocen las respuestas.
• Escuchan bien.	• Muestran fuertes opiniones y sentimientos.
• Autosatisfechos.	• Enormemente autocríticos y perfeccionistas.

Lo único importante de todas estas clasificaciones es no quedarse en la «etiqueta» que le corresponde a cada uno. En realidad son clasificaciones científicas para poder evaluar la respuesta educativa que cada niño necesita, para ayudarle a ser feliz en la vida. Ninguna otra consideración sería válida si no se orientara directamente a este fin.

b. ¿Cómo son realmente los superdotados?

Con frecuencia aparecen en algunos medios de comunicación imágenes muy distorsionadas de los niños superdotados. Ello dificulta la necesaria cohesión de nuestra sociedad plural y democrática, y es causa de buena parte de los problemas personales que tanto sufrimiento les produce: marginación, incomprensión, fracaso escolar...

Por ello, y antes de explicar sus necesidades educativas, es importante clarificar los mitos, los tópicos y las expectativas estereotipadas que en nuestra sociedad existen sobre estos chicos y chicas.

TÓPICO/MITO	CLARIFICACIONES
El superdotado/talentoso es de clase media/alta.	No necesariamente. Sí influye el ambiente sociocultural y económico a la hora de posibilitar con medios el desarrollo de la potencialidad.
Es un grupo patológico.	Prejuicio que no se corresponde con la realidad ni aparece en ninguna investigación.
Los alumnos superdotados, como grupo, son frágiles, orgullosos, inestables y solitarios.	Por el contrario, tienen menos trastornos de conducta que los alumnos «medios» y destacan por sus recursos pedagógicos, autonomía, autocontrol y sociabilidad.
Buen rendimiento escolar. Destaca en todas las áreas del currículo académico.	No es garantía de éxito escolar. Un 33% destaca, otro 33% pasa desapercibido y el otro 33% fracasa escolarmente o tiene problemas disruptivos.

TÓPICO/MITO	CLARIFICACIONES
No necesitan ayuda. Tienen recursos suficientes para salir airosos. Los alumnos superdotados deben hacer frente a las dificultades desde su dotación y no necesitan ayuda para realizarse y triunfar.	Deben crearse las condiciones necesarias. El superdotado no es un ser extraordinario, sino una persona «diferente». La propia sobredotación intelectual, de no ser atendida adecuadamente, le puede llevar al fracaso escolar. El alumno superdotado es sobretodo un NIÑO.
El superdotado es un «genio».	Hay que distinguir los conceptos.
Se definen por su alto C.I. Un alumno superdotado es aquel que en el test de inteligencia obtiene un cociente intelectual (C.I.) por encima de 130.	Para identificar con rigor a un alumno superdotado ya no es suficiente el criterio psicométrico y cuantitativo aplicado hasta los años setenta, en la actualidad se ha de complementar, necesariamente, con modelos diversos de diagnóstico en los que se contemplen el mayor número posible de las variables de la excepcionalidad.
Forman un estereotipo único: Individuo raro. Los alumnos superdotados siguen unas pautas de comportamiento muy similares y configuran un estereotipo único.	Desde la diferencia que conforma su modo de ser individual, los alumnos que manifiestan condiciones de sobredotación intelectual presentan tantas diferencias entre sí como el resto de niños que se catalogan como «normales».
Superior en todos los órdenes de la vida y en todas las áreas del desarrollo.	No necesariamente. Lo habitual es que destaque en algún aspecto o área en concreto.
Intelectualmente superior.	Los «talentosos» suelen ser superiores en algún aspecto o en alguna área concreta, pero no en «todo».

TÓPICO/MITO	CLARIFICACIONES
Superioridad física.	Dependerá del ambiente en que se desarrolle.
Peor desarrollo emocional. Aburrimiento.	Son más estables pero pueden ser más vulnerables emocionalmente en el contexto escolar. En el ambiente escolar se pueden aburrir si los objetivos educativos no se corresponden con sus capacidades e intereses, pudiendo originar retraimiento o conductas disruptivas en el aula.
Han de ser atendidos por maestros superdotados. La atención pedagógica en el aula de los alumnos superdotados y talentosos ha de confiarse a maestros superdotados.	El maestro no basa su «rol» en una superioridad de conocimientos específicos, sino en la *mayor madurez socioemocional* y en una superior disposición de recursos o referencias, características que le permiten orientar y aconsejar más que aportar directamente conocimientos.
	No obstante, algunos profesores inseguros emocionalmente sobretodo, ven en el alumno superdotado o al talentoso como una auténtica «amenaza» que hay que anular o marginar.
Gran motivación para sobresalir en el colegio.	Aunque una implicación elevada en las tareas puede conducir a la identificación de un individuo de rendimiento elevado como «superdotado», su ausencia no debe nunca producir un abandono automático de la posibilidad de sobredotación potencial o una interrupción de los tests que valoren el potencial intelectual superior.

TÓPICO/MITO	CLARIFICACIONES
Los alumnos con un elevado C.I. tienen garantizado el éxito escolar y profesional.	La relación C.I./éxito escolar o profesional sólo corresponde un 20% al componente C.I. El 80% restante es debido a componentes o aspectos no intelectivos o de la personalidad: a la Inteligencia Emocional: • Conocimiento de uno mismo: autoconsciencia. • Gestión de humor (disminuir su ansiedad). • Motivación de uno mismo (positiva): motivación. • Control del impulso (demorar una gratificación): auto-control. • Empatía (apertura a los demás). • Habilidades sociales.

(Resumen obtenido del estudio de diferentes autores, entre los que destacan: Terman y Oden, García Yagüe, Renzulli, Freeman, Whitmore, Monterde, López Andrada, Marqués Pereira y Tavares, Coriat, Terrassier, Getzels, Alonso y Benito y otros.)

¿Qué problemas asociados presentan estos chicos? Vaili y J. Ch. Terrassier (1996) son los científicos que más han profundizado en esta cuestión. Veamos las conclusiones a las que han llegado:

CARACTERÍSTICAS	POSIBLES PROBLEMAS ASOCIADOS
1. Aprenden rápida y fácilmente. 2. Tienen una gran capacidad para la abstracción y el razonamiento crítico. 3. Ven relaciones entre ideas y sucesos.	• Llegan a aburrirse y frustrarse. • Odian las repeticiones y el currículum superficial. • Ocultan sus altas capacidades para ser aceptados. • Toman negativamente las actitudes de los adultos.
4. Exhiben una gran habilidad verbal.	• Dominan el discurso, de manera que discutir con ellos se torna dificultoso. • Tienen dificultad para escuchar a los demás. • Muestran conductas manipulativas hacia los otros.
5. Poseen un alto nivel de energía.	• Generalmente, necesitan menos horas de sueño. • Llegan a frustrarse con la calma, la carencia de desafíos y la falta de actividad.
6. Muestran una enorme curiosidad.	• Asumen demasiadas responsabilidades y actividades al mismo tiempo.
7. Son sumamente persistentes. 8. Son capaces de concentrarse durante extensos períodos de tiempo en aquellas tareas que les interesan.	• Pueden desorganizar una clase rutinaria. • Les desesperan las restricciones. • No soportan los horarios programados. • Pueden ser percibidos por los demás como tercos y poco cooperativos.

CARACTERÍSTICAS	POSIBLES PROBLEMAS ASOCIADOS
9. Suelen mostrar diferentes estilos de aprendizaje: — Acelerado: encaminado al logro rápido. — Enriquecido: deseando profundidad de conocimientos, necesidad de experimentar, involucrándose emocionalmente en un tema específico.	• Llegan a frustrarse con la ausencia de progreso. • Pueden no estar motivados por los resultados. • Se resisten a las interrupciones. • Los demás lo ven como un perfeccionista u obsesivo, demasiado preocupado por todo.
10. Exhiben una intensidad y una profundidad emocional inusitada.	• Son extraordinariamente vulnerables. • Se sienten confusos si sus pensamientos e ideas no son tenidas en cuenta o tomadas en serio.
11. Son excesivamente sensibles. 12. Muestran una capacidad de observación muy aguda.	• Tratan de enmascarar sus sentimientos, creando su propia «máscara» y barrera para protegerse. • Son muy sensibles a la crítica.
13. Les preocupan los temas morales propios de los adultos. 14. Son muy idealistas y están enormemente preocupados por temas como la justicia, la libertad, el bien y el mal, etc.	• Intentan reformas del mundo y de su entorno poco realistas. • Se pueden llegar a sentir frustrados, enojados y deprimidos. • Desarrollan una actitud cínica. • Pueden sentirse rechazados por sus compañeros.
15. Son perfeccionistas.	• Se ponen a sí mismos metas muy elevadas. • Pueden tener sentimientos inadecuados. • Se sienten frustrados con los demás. • Temen el fracaso, de manera que si éste se produce, inhiben intentos en nuevas áreas.

CARACTERÍSTICAS	POSIBLES PROBLEMAS ASOCIADOS
16. Muestran no-conformidad e independencia ante lo establecido.	• Tienen tendencia a los retos y a cuestionarlo todo indiscretamente. • Pueden mostrarse muy intransigentes con la conformidad y con la rigidez de ideas. • Exhiben comportamientos rebeldes.
17. Poseen un elevado autoconcepto, así como sentimientos de ser «diferentes».	• Pueden llegar a experimentar aislamiento social. • Pueden percibir que el ser «diferentes» es negativo, sin valor, lo cual hace bajar su autoestima.
18. Poseen un agudo sentido del humor.	• Pueden usar inapropiadamente su humor para atacar a los demás. • Se sienten confusos cuando su humor no es entendido o es malinterpretado. • Se sienten rechazados por los demás.
19. Poseen una imaginación inusitada.	• Son vistos por los otros como «raros». • Llegan a sentirse ahogados por la falta de oportunidades creativas.
20. Prefieren relacionarse con niños más mayores y con los adultos.	• Pueden llegar a experimentar aislamiento social. • Son vistos por los otros como extraños, que se «salen» de los temas, superiores y excesivamente críticos.

Los niños superdotados son diferentes entre sí, ya que cada uno tiene definida su personalidad, pero a la vez mantienen unas características generales comunes, tanto los de aquí como los de nuestras antípodas.

En 1996, el Ministerio de Educación del Gobierno australiano realizó un profundo estudio de sus características generales. Veamos el resumen final:

1. Encuentra un gran placer en las actividades intelectuales.
2. Le gusta crear, inventar, investigar y conceptualizar.
3. Aprende fácil y rápidamente.
4. Muestra gran curiosidad intelectual y pregunta constantemente.
5. Posee intereses poco comunes, explorando continuamente.
6. Utiliza un vocabulario superior en cantidad y calidad.
7. Demuestran una gran riqueza de imágenes en el lenguaje informal y en el torbellino de ideas.
8. Aprende a leer precozmente, incluso antes de los tres años de edad.
9. Muestra agitación intelectual y física. Una vez estimulado, es un aprendiz activo.
10. Memoriza fácilmente, recuperando la información rápidamente.
11. Aprende las habilidades básicas de modo positivo, más rápido y con menos práctica.
12. Funciona precozmente a niveles cognitivos superiores.
13. Ve las relaciones más fácilmente y antes que los demás.
14. Construye y maneja niveles más altos de abstracción.
15. Evidencia una gran capacidad para manejarse con más de una idea a la vez.
16. Sigue direcciones complejas fácilmente.
17. Busca desafíos y nuevos retos continuamente.
18. Ofrece respuestas rápidas a nuevas ideas.
19. Llega a excitarse con las ideas novedosas y con los descubrimientos.
20. Genera muchas soluciones a un problema.
21. Posee una imaginación inusitada.
22. Muestra una gran iniciativa y originalidad, versatilidad y virtuosismo.
23. Crea e inventa más allá de los parámetros de conocimiento establecidos.

c. *¿Qué es la disincronía?*

Jean Charles Terrassier concluye en que dos son los posibles síndromes que pueden padecer los chicos superdotados: la *Disincronía Evolutiva* y el *Efecto Pygmalión Negativo*.

El Síndrome de la Disincronía Evolutiva ha de ser entendido como el desarrollo heterogéneo entre la capacidad intelectual de elevada evolución y otras áreas de la conducta, básicamente la emocional, que evoluciona a diferente ritmo. Esta ruptura o desfase produce varias irregularidades en el funcionamiento externo e interno.

La disincronía escolar-social resulta del desfase entre la norma interna del desarrollo del niño precoz y la norma social adecuada a la mayor parte de los niños. La consecuencia más evidente se produce en los sistemas de educación escolar, donde se sitúa a todos los alumnos dentro de una norma única. Aquí, el no respeto del «derecho a la diversidad» conduce al fracaso escolar paradójico en demasiados niños con aptitudes brillantes.

Terrassier explica que los sistemas educativos ligados inflexiblemente a la edad cronológica sólo benefician al 45 por ciento de los niños, que orientativamente, considerando el C.I. (cociente intelectual), están entre 100 y 130. Así, en cada aula se forman tres grupos:

— *Niños con C.I. inferior a 100.* A estos niños la escuela ya les ofrece una atención individualizada dentro de las necesidades educativas especiales.

— *Niños con C.I. entre 100 y 130.* Este grupo es el más privilegiado en nuestro sistema educativo. La educación que reciben concuerda con su progreso evolutivo y se integran con facilidad. Constituyen aproximadamente el 45 por ciento.

— *Niños con C.I. superior a 130.* Es el grupo más descuidado de nuestro sistema educativo. No cuentan con la atención que necesitan, como los del primer grupo, aunque tienen el mismo derecho legal al estar incluidos en el grupo con «necesidades educativas especiales». Este desajuste intelectual produce la disincronía escolar-social.

No sólo la escuela no responde ante los niños superdotados, sino que además produce en ellos un desajuste entre su capacidad intelectual y su capacidad emocional. Si pretendemos integrarlos en los centros basándonos en un criterio de edad mental, se producirá en ellos un desajuste emocional; por el contrario, si los integramos basándonos en el criterio de edad cronológica, se producirá un desajuste intelectual. Esto demuestra la incapacidad de la escuela para dar solución a las necesidades de la superdotación.

Para conocer el nivel de ajuste intelectual y escolar de un niño, Terrassier (1989) propone un cociente escolar (CE):

$$\text{COCIENTE ESCOLAR (CE)} = \frac{\text{Edad escolar}}{\text{Edad mental}}$$

Cuando estas edades están equilibradas, el cociente escolar se iguala o aproxima a 1, lo que significa que el niño está en condiciones de adaptarse. Sin embargo, si este cociente no se acerca a 1, se produce una infrautilización de la potencialidad y ello constituye un indicador del desajuste generado.

Respecto a la *disincronía escolar*, se debe señalar la excesiva confianza que la escuela ofrece a un criterio tan estático como es el de edad cronológica para distribuir a los alumnos por niveles, sin tener en cuenta otros índices informativos. Como afirma Renom (1992), cuando alguien va a comprarse un par de zapatos no le preguntan su edad para, en función de ello, asignarle el par correspondiente, sino que siempre le ofrecen pares según el número de pie. Esto es lo que debería hacer la escuela: no dejarse guiar sólo por criterios cronológicos, sino por las capacidades del niño en cuestión.

También hay que considerar la *disincronía familiar*. A muchos padres no les resulta fácil entender las conductas infantiles de los niños superdotados y sus razonamientos adultos.

La *disincronía interna*, consecuencia de la heterogeneidad de los ritmos del desarrollo, se manifiesta principalmente entre el nivel intelectual y el nivel afectivo; entre lo intelectual y lo psicomotor; entre el lenguaje y el razonamiento. En la Web: www.xarxabcn.net/instisuper (bibliografía) se halla ampliamente documentado este fenómeno.

La disincronía no es exclusiva de los superdotados. Los casos en que más se observan sus efectos son, por este orden: alumnos precoces, talentos académicos, talentos lógicos y superdotados (A. Castelló y M. Martínez, 1998). Tampoco estamos ante un síndrome irremediable. Una vez identificada, la disincronía se puede superar con el tratamiento adecuado, llevado a cabo en un Centro de Identificación Especializado que requerirá la colaboración de la familia y del colegio.

Ciertamente, las recientes declaraciones de la ministra de Educación, Pilar del Castillo, a la revista *Ensenyament* constituyen una esperanza:

> «El Gobierno, previa consulta a las Comunidades Autónomas, establecerá las normas para flexibilizar la duración de los diversos niveles y etapas del sistema educativo, independientemente de la edad de los alumnos.»

Ello evidencia que es preciso conocer las diferentes necesidades educativas de cada alumno, por lo que la ministra añade:

> «Es necesario identificar previamente a los alumnos de forma correcta, para poder atender a las necesidades educativas.»

Sus palabras están en la misma línea que las del *president* de la Generalitat de Catalunya, Jordi Pujol:

> «La revista *Ensenyament* será el permanente recordatorio de que cada uno y cada una de nuestros alumnos es diferente, y como tal necesita crecer en conocimientos y en valores en una escuela adaptable, flexible y creativa.»

d. El fracaso escolar de los más inteligentes

No se trata de una paradoja, sino de una realidad estudiada científicamente; de un problema muy grave de nuestra sociedad y un reto para los padres, ya que tiene solución.

Una vez detectado el problema del fracaso escolar, hay que llevar al niño a un centro especializado para que le hagan la identificación, es decir, la evaluación y el diagnóstico. Ya con el dictamen psicopedagógico, hay que urgir al colegio para que aplique de inmediato la respuesta educativa que el niño necesita.

El cambio que el niño entonces experimenta es radical y muy rápido. Aquel alumno de bajo rendimiento o con fracaso escolar, vuelve al colegio con ilusión y entusiasmo. El bajo rendimiento escolar, incluso el fracaso, es normal mientras no se le haya identificado y, en consecuencia, no se esté aplicando la medida escolar necesaria. Así lo reconoce el propio Ministerio de Educación:

> «Hay que tener en cuenta que el niño de altas capacidades, si no se le encuentra la motivación exacta donde desarrollarse, cae en la desmotivación y puede llegar al fracaso escolar ya que suelen sen-

tirse aburridos ante la enseñanza repetitiva que se suele dar en los centros.» (MEC-2000.)

Pero veamos primero las características generales de estos chicos de altas capacidades que tienen bajo rendimiento o están ya en pleno fracaso escolar, para pasar después a estudiar el camino hacia la solución definitiva.

	Los superdotados con bajo rendimiento escolar pueden ser:
CARACTERÍSTICAS NEGATIVAS	1. Contrarios a la escuela en general y muy críticos con los valores de ésta; les falta entusiasmo para la mayoría de las actividades escolares.
	2. Su humor, en general, es corrosivo y tienen una percepción irónica de las debilidades ajenas.
	3. Hablan bien, pero sus trabajos escritos son pobres e incompletos.
	4. En general, aparentan estar aburridos y aletargados, faltos de energía y motivación.
	5. Intranquilos, poco atentos y fáciles de distraer, casi siempre son el origen de las travesuras y de las bromas.
	6. Absortos en su mundo particular, casi siempre «matan» el tiempo sin hacer nada o distrayendo a sus compañeros.
	7. Amigables con los alumnos mayores, buscan deliberadamente su compañía y normalmente son aceptados por ellos.
	8. Impacientes y críticos, y en ocasiones rudos e insolentes, les es difícil establecer relaciones con sus compañeros cronológicos y con los profesores.
	9. Emocionalmente inestables, muy propensos a la melancolía y al mal humor, parecen frustrarse con facilidad y tienen poca consideración hacia los demás.
	10. Exteriormente autosuficientes y aparentemente indiferentes o despreocupados por las normas.
	11. De asistencia irregular a clase, pero capaces de seguir el ritmo de los otros niños.
	12. Manifiestan una actitud defensiva, y son muy astutos en sus argumentos y autojustificaciones.
	13. Con frecuencia, son los líderes de los «descontentos» y del grupo «anti-escuela».
	14. Bien dotados de técnicas de supervivencia.

	Los superdotados con bajo rendimiento escolar pueden ser:
CARACTERÍSTICAS POSITIVAS	15. Cuando algo les interesa, son innovadores y originales, aunque se muestran impacientes y poco dispuestos a perseverar en las etapas intermedias.
	16. Aprenden nuevos conceptos con rapidez, siendo capaces de plantear problemas y solucionarlos con ingenio, sobre todo si no están relacionados con materias académicas.
	17. Son capaces de plantear preguntas provocativas e inquisitivas, siendo muy conscientes de los problemas de las personas y de la vida en general.
	18. Son muy perseverantes cuando están motivados, y pueden presentar un rendimiento elevado en alguna área, y sobre todo cuando las relaciones con el profesor son buenas.
	19. Innovadores en sus respuestas a preguntas abiertas. Sabios y conocedores de los asuntos de sentido común y de la vida real.
	20. Perspicaces en las discusiones sobre las motivaciones de la gente, sus necesidades y debilidades.

(Wallace, 1988.)

Superdotados con fracaso escolar	
CARACTERÍSTICAS	OBSERVACIONES
1. Rendimiento pobre o insuficiente en las destrezas de la lectura y el lenguaje.	1. Lenguaje oral complejo; vocabulario; comprensión.
2. Actitudes pasivas o negativas hacia el colegio; desmotivación.	2. Entrar en comunicación con los intereses del niño, conocimientos, *hobbies*, niveles de curiosidad, duda, indagación e investigación.
3. Inmadurez en algunas o en todas las áreas de desarrollo.	3. Destrezas para la resolución de problemas.
4. Conducta en la clase: pasiva, introvertida, agresiva y/o disruptiva.	4. Originalidad y creatividad en el procesamiento cognitivo y en el pensamiento.
5. Insuficiente información acerca del conocimiento general, los intereses, el lenguaje y el pensamiento del niño.	5. Memoria para hechos y sucesos; conocimientos y destrezas para idear formas de manejar a la gente y resolver problemas; interés excepcional por los retos.

(Withmore, 1988.)

V. LA IDENTIFICACIÓN

a. ¿Cómo pueden saber padres y profesores si un niño es precoz, talentoso, superdotado o cualquier otra forma de alta capacidad intelectual?

Dice el Ministerio de Educación en su informe:

> «El primer paso para determinar la respuesta educativa más idónea para atender las necesidades de estos alumnos debe ser su identificación a través de los procesos de *detección* y de *evaluación psicopedagógica.*»

Y, añade más adelante:

> «Todo sistema educativo, público o privado, serio y responsable debe integrar un proceso operativo de detección y evaluación diagnóstica de las capacidades, potenciales y fácticas *de todos y cada uno de los alumnos* y, de una manera especial, de aquellos que manifiesten una sobredotación intelectual o de cualquier otro signo.»

Es importante resaltar que el Ministerio de Educación indica este primer paso del proceso educativo —detección y evaluación diagnóstica— no sólo para los alumnos que manifiesten una posible sobredotación, sino para TODOS Y CADA UNO DE ELLOS.

b. ¿Cuándo hay que averiguarlo?

La respuesta es muy clara: *cuanto antes*. A partir de los tres años ya es posible, porque hoy por hoy no existen instrumentos válidos para su aplicación en edades más tempranas. Es cierto que, como algunos autores señalan, las calificaciones definitivas no se podrán dar de forma estable hasta los doce o trece años. Hay que tener en cuenta que el objetivo no es empezar consolidando un diagnóstico ni «etiquetar» a los niños, sino descubrir las capacidades potenciales y fácticas de *todos* los alumnos. Por ello ha de hacerse cuanto antes, para poder orientar correctamente el proceso educativo.

El Ministerio de Educación resalta en su informe una de las conclusiones de la IX Conferencia Mundial de Niños Superdotados de La Haya (30 de julio-2 de agosto de 1991):

> «Un niño inteligente no lo es siempre y, si no recibe el apoyo adecuado, sus dotes pueden acabar por desaparecer.»

El informe del Ministerio de Educación establece que:

> «Una intervención eficaz por parte de la Administración sería la potenciación de los aspectos siguientes: potenciación de los recursos y procedimientos para la detección e intervención temprana de las posibilidades de desarrollo diferencial de cada niño para evitar el riesgo de que se minimicen sus propias potencialidades.»

En opinión de J. A. Alonso (1992), los niños superdotados necesitan de una identificación y diagnóstico temprano, sobre todo en el caso del niño o joven de bajo rendimiento escolar. «Cuanto antes se intervenga —opina Whitmore (1980)—, más posibilidades tenemos de solucionar el problema.»

Según White (1971), hacia el tercer año de vida la predicción de superdotación es bastante segura; y a los 4 años de edad estamos en un momento óptimo para realizar la primera evaluación (Amparo Acereda, 2000). En opinión de Terrassier (1990), las capacidades de estos niños se deterioran con los años si no se ejercitan.

El Ministerio de Educación hace suyo el criterio de Hollingworth (1950):

> «Todas las características de los alumnos superdotados deberán ser estudiadas antes de los 11 o 12 años de edad. En la actualidad podría calificarse de "descuido pedagógico" por no decir de "negligencia" que un alumno con potencialidades de superdotado o talentoso accediera a la Enseñanza Secundaria sin haber sido detectado o evaluado con anterioridad.»

La llamada «psicología de la intervención» ha propiciado la idea de que cuanto antes se intervenga, mejor es el pronóstico, generando así la práctica de la «estimulación precoz» (Freman, 1998). Veamos, ahora, algunas de las razones más importantes según Rodford (1994):

1. Los niños superdotados pueden beneficiarse de la entrada temprana al jardín de infancia, del currículum especial que se les planifique dentro de ese jardín de infancia, o de un ambiente enriquecedor.
2. Las puntuaciones de las pruebas administrativas ofrecen datos cuantitativos, que usted puede decidir o no compartir con la escuela cuando le informe sobre las necesidades educativas especiales de su hijo. No debe nunca olvidar que estos datos cuantitativos son comúnmente normativos, de manera que únicamente le permiten comparar el desarrollo de su hijo con el de una muestra de niños promedio de la misma edad.
3. Pueden descubrirse, a partir de esta identificación precoz, unas áreas más débiles en su desarrollo, que pueden llegar a estar enmascaradas por la posible superdotación de su hijo. La identificación precoz permite que usted pueda ayudarle a poner en práctica estas habilidades.
4. Las puntuaciones de las pruebas le pueden dar a usted la confianza de que sus observaciones personales han sido correctas o adecuadas. Del mismo modo, pueden evitar que le imponga demasiada presión a su hijo.
5. Las puntuaciones de las pruebas, basándose en una identificación precoz, le proporcionan una información básica para el control de su progreso y de su crecimiento intelectual.

En el ámbito científico, el criterio de la detección precoz es unánime, mientras que entre los profesores, sólo es mayoritario. ¿A qué se debe esta diferencia? Agustín Regadera Maestro, especialista en Pedagogía Terapéutica, tras muchos años de experiencia como inspector de Educación escribe en su libro *¿Es mi hijo superdotado o inteligente?*:

> «La inmensa mayoría del profesorado coincide en que sería muy importante detectar cuando antes a este tipo de alumnos y disponer de los recursos necesarios para orientarles debidamente.»

Y concluye:

> «El diagnóstico precoz es fundamental.»

No podemos perder de vista el hecho de que detectar e identificar las necesidades educativas personales pondrá en evidencia el requisito de aplicar la respuesta educativa también necesaria. Esto requiere «disponer de los recursos necesarios para orientarles debidamente». La cuestión ya no está en el ámbito científico-psicológico, sino en el presupuestario, porque detectar e identificar necesidades educativas personales requiere la inmediata respuesta escolar y ello siempre supone un trabajo complementario para los profesores y para el equipo de orientación psicopedagógico del colegio que, aunque necesario para el niño, no viene acompañado de sobresueldo. No obstante, muchos profesores y equipos de orientación saben anteponer su condición de educadores a la de funcionarios de la educación.

En cualquier caso, y como afirma Jesús Gairín —catedrático de Pedagogía y director del Instituto de Ciencias de la Educación de la Universidad Autónoma de Barcelona— «es un derecho de las personas (niños y padres) y un deber de la sociedad».

En las páginas siguientes reproducimos los *cuestionarios de detección* del Ministerio de Educación. Si tiene alguna duda en su realización, no dude en ponerse en contacto con el Instituto Catalán de Superdotación (Tel. 93-2851911 / E-mail: instisuper@hotmail.com). También puede consultar a la Asociación de Superdotación de su comunidad autónoma o de la más próxima, que está inscrita en la Confederación Española de Asociaciones de Superdotación (CEAS).

c. Haga usted mismo la detección de su hijo

Los padres, y también los profesores, pueden realizar la prueba de detección y después acudir a un Centro de Identificación Especializado para completar dicha identificación con la evaluación y el diagnóstico.

CUESTIONARIO GENERAL PARA TODAS LAS EDADES (MEC 2000)

Si nos encontramos ante un niño que muestre tener varias de estas características, podemos estar ante un niño con talento, con altas capacidades o superdotado. ¿Cuántas de estas características reúne su hijo?

- ☐ 1. Tiene mucha imaginación y es muy creativo.
- ☐ 2. Manifiesta una gran riqueza de ideas.
- ☐ 3. Aprende rápidamente y con facilidad.
- ☐ 4. Tiene gran capacidad de abstracción.
- ☐ 5. Muestra una enorme curiosidad por un amplio espectro de temas, formulando numerosas preguntas, que en ocasiones nos sorprenden por su contenido.
- ☐ 6. Presenta gran habilidad para organizar datos.
- ☐ 7. Formula problemas espontáneamente.
- ☐ 8. Tiene gran habilidad para la transferencia de ideas en diferentes contextos.

Ahora puede realizar el cuestionario que corresponde a su hijo según el nivel escolar en que se encuentre.

LA DETECCIÓN EN EDUCACIÓN INFANTIL (ESCALA DE OBSERVACIÓN PARA NIÑOS HASTA 6 AÑOS DE EDAD)

Pueden darse, no necesariamente, todas las variables en un mismo niño. Marque con una X todos los aspectos en los que se manifieste claramente el niño.

DESARROLLO DEL LENGUAJE	
• Decir la primera palabra a los 6 meses	☐
• Decir la primera frase a los 12 meses	☐
• Mantener una conversación a los 24 meses	☐
• Tener un vocabulario avanzado a los 24 meses	☐
• Preguntar por las palabras nuevas que no conoce a los 3 años......	☐
• Conocer y manejar parentescos (hermano, tío, abuelos, etc...) a los 2,5 años	☐

DESARROLLO COGNITIVO	
• Dibujar la figura humana (cabeza, tronco y cuatro extremidades) a los 2,5 años	☐
• Contar hasta 10 a los 2,5 años	☐
• Hacer un puzzle de 20 piezas a los 2,5 años	☐
• Leer cifras de 5 o más dígitos a los 5 años	☐
• Manejar el reloj (identificando horas, medias y cuartos en el sistema analógico) a los 5 años	☐
• Estar muy interesado por lo que le rodea, preguntar por el origen de las cosas y curiosidad y deseo de aprender «todo» desde los 2 años	☐
• Aprender los colores (al menos 6) a los 18 meses	☐
• Conocer el abecedario en mayúsculas (al menos 18 letras)	☐
• Leer un libro con facilidad a los 4 años	☐
• Conocer el nombre y apellidos de todos los niños de la clase en el primer trimestre del curso	☐
• Memorizar cuentos, canciones y oraciones a los 2,5 años	☐
• Interesarse por la ortografía de las palabras a los 4 años	☐
• Ver películas de vídeo a los 2,5 años	☐

AUTOAYUDA	
• Aprender a mantenerse limpio al año y medio (control de esfínteres diurno y nocturno)	☐
• Elegir su propia ropa a los 3 años	☐
• Vestirse y desvestirse completamente a los 4 años	☐

SOCIALIZACIÓN	
• Ser líder (siguen sus juegos y es invitado por lo menos al 75% de los cumpleaños de los niños de la clase) a los 6 años	☐
• Relacionarse con personas mayores y disfrutar del juego con niños mayores que él a los 4 años	☐
• Tener dificultades en la relación con sus iguales a los 4 años	☐

Según los estudios de Y. Benito y J. Moro (1977), de donde proceden estos cuadros, se podría considerar presumiblemente superdotado a aquel niño/a que cumpliera con alguna de las dos condiciones siguientes:

a) *Presencia de al menos una de las siguientes variables:*

- Lectura de un libro a los 4 años.
- Identificación de al menos 6 colores a los 18 meses.
- Realización de un puzzle de al menos 20 piezas a los 2 años y medio.

b) *Presencia conjunta de las dos variables siguientes:*

- Contar hasta 10 a los 2 años y medio.
- Saber el abecedario (al menos 18 letras) a los 2 años y medio).

LA DETECCIÓN EN EDUCACIÓN PRIMARIA (ESCALA DE OBSERVACIÓN DE LAS CARACTERÍSTICAS DE LOS NIÑOS)

Pueden darse, no necesariamente, todas las variables en un niño. Marque con una X todos los aspectos en los que se manifieste claramente el niño.

ASPECTOS INTELECTUALES/COGNITIVOS	
• Aprende a leer antes de los 6 años, incluso antes de acudir a la Escuela Infantil	☐
• Disfruta leyendo libros y cuentos de forma rápida, «devoradores de libros»	☐
• Tienen mucho interés por consultar enciclopedias y diccionarios .	☐
• Comprende y maneja ideas abstractas y complejas	☐
• Capta de manera rápida las relaciones (comprende con rapidez)..	☐
• Conoce y domina un amplio vocabulario altamente avanzado para su edad, tanto en su nivel comprensivo como expresivo	☐
• Aprende con rapidez y comodidad los aspectos y tareas difíciles, y sabe «transferirlo» a situaciones nuevas	☐
• Le interesan los problemas trascendentales	☐
• Rechaza las actividades de «rutina»	☐
• Suele preguntar el «¿por qué?» de todas las cosas (posee una gran curiosidad)	☐
• Tiene gran facilidad para concentrarse y detesta ser interrumpido	☐
• Hace «gala» de su mala caligrafía (su mente suele ir más rápida que su mano)	☐

ASPECTOS RELACIONADOS CON LA CREATIVIDAD	
• Le gusta la creatividad emocional y la estimulación divergente	☐
• Tiene sentido (talento) estético y desarrolla actividades artísticas, culturales o deportivas	☐
• Suele tener uno o algunos *hobbies*, siendo sus dibujos, experimentos o juegos muy originales, creativos e inusuales para su edad	☐
• Suele poseer un buen sentido del humor e imita a personajes cómicos	☐
• Disfruta de una gran imaginación y fantasía	☐
• Sus pensamientos e ideas son flexibles. No son rígidos	☐
• Muestra un alto grado de sensibilidad hacia el mundo que le rodea	☐

MOTIVACIÓN INTRÍNSECA, EFICACIA EN LA TAREA Y RENDIMIENTO	
• Tiene gran capacidad y concentración en materias de su interés ..	☐
• Presenta aburrimiento ante las tareas rutinarias o puramente memorísticas	☐
• Se observa una multipotencialidad de intereses y habilidades	☐
• Tiene gran curiosidad por una serie de temas	☐
• Es muy eficaz e individualista en sus tareas, aportando soluciones para salir de la rutina	☐
• Prefiere trabajar de forma independiente y precisa de pocas indicaciones del profesor	☐
• Presenta una excesiva autocrítica, perfeccionismo e hipersensibilidad	☐
• Prefiere las respuestas y aprendizajes razonados, y mejor aun si son de elaboración propia	☐
• Es obstinado, perseverante y «rebelde» cuando se aburre	☐

ASPECTOS ACTITUDINALES Y SOCIALES	
• Es generoso y altruista	☐
• Le gusta trabajar solo	☐
• Es independiente y autocrítico	☐
• Se siente seguro y persuasivo	☐
• Es aceptado y tiene popularidad entre los compañeros y amigos .	☐
• Con frecuencia suele ser el líder de su clase o de sus grupos de amigos, desde edades tempranas	☐
• No soporta las imposiciones no razonadas	☐
• Es sensible ante la injusticia, independientemente de quién sea el perjudicado	☐
• Es muy sensible y receptivo a los problemas relacionados con la moralidad y la justicia	☐
• En sus tareas intra-extra escolares, si son de su interés, es perfeccionista y perseverante	☐
• Su peculiar sentido del humor, a veces no es bien comprendido por los demás	☐
• Se manifiesta «despistado» cuando no le interesa alguna persona o alguna cosa	☐
• Le gusta relacionarse con los adultos en actividades y juegos de «interior» y con sus iguales» de «exterior»	☐
• Suelen ser «crédulos» (no «ingenuos») y confiados	☐
• Necesita tener éxito y ser reconocido	☐
• Le molesta la inactividad y la falta de progreso	☐
• Posee capacidad de liderazgo. Observa a los «jefes» de las pandillas o grupos	☐
• Tiene necesidad de poder formar grupos (independientemente de la edad cronológica que tenga)	☐

Monterde y García Artal.

d. ¿Dónde hay que ir para hacer la evaluación y el diagnóstico?

Si, como hemos dicho, la detección puede ser realizada por los padres, la posterior evaluación y el diagnóstico han de corresponder exclusivamente a los Centros de Identificación Especializados, ya que se trata de un tema muy complejo y delicado que requiere la intervención de personal experto. Los profesores, con el apoyo de los equipos de asesoramiento psicopedagógico, sólo podrían realizar la detección si recibieran el entrenamiento adecuado.

Sobre el particular, el Ministerio de Educación establece en su informe del año 2000:

> «Se constata también que los profesores, en general, no son buenos predictores a la hora de identificar a los niños superdotados. En nuestra investigación, el grado de eficacia (59%) y el de eficiencia (59%) para la detección y el pronóstico de los alumnos potenciales superdotados no supera el 60%. Es necesario, por tanto, que los profesores se entrenen, a través de escalas y cuestionarios de observación para conseguir elevar este porcentaje de predicción hasta cerca del 80%.»

En el estudio de Pegnato y Birch (1959) el 31 por ciento de los niños seleccionados por los colegios fue erróneo y, por el contrario, olvidaron a más de la mitad de los que tenían habilidades superiores. Por su parte, en el estudio de García Yagüe, realizado en España en 1986, el 38,5 por ciento de los niños de 1.º de EGB y el 36,7 por ciento de los de 3.º que los colegios habían detectado como superdotados, en realidad no sólo no lo eran, sino que eran medianos y en algunos casos flojos; mientras que más de la mitad de los superdotados habían pasado desapercibidos por los colegios y sólo el 26,7 por ciento de ellos habían sido detectados previamente por los colegios como alumnos con «buenas aptitudes».

Recientemente, se realizó en la Comunidad Autónoma de Madrid una investigación dirigida por Sánchez Manzano, de la Universidad Complutense, con la participación del Ministerio de Educación y la Consejería de Educación del Gobierno autónomo. Participaron en ella 15.000 niños de 65 colegios, tanto de núcleos urbanos como de zonas rurales, de edades comprendidas entre los 6 y los 12 años. Los colegios, previamente, habían detectado a 1.700 niños de los que, en realidad, sólo resultaron serlo 94, lo que significa un acierto tan sólo del 5,5 por ciento frente a un error del 94,5 por ciento.

Agustín Regadera López, a quien ya nos hemos referido, cuenta en su libro que «durante el curso 1997-1998 tuve la oportunidad de formular a unos cien profesores de Educación Infantil, Primaria y Secundaria la siguiente pregunta: "¿Cuántos alumnos superdotados ha tenido en la clase a lo largo de su vida profesional?" Calculando que estos profesores podrían tener una media de 20 años de experiencia, y que cada año atendieron a un mínimo de 30 alumnos, la suma total sobrepasaría los sesenta mil. Pues bien, de esos sesenta mil, sólo nueve fueron considerados por sus profesores como superdotados.»

Según Amparo Acereda (2000), «distintos estudios reflejan que un 95 por ciento de los profesores pronostican como superdotados a niños que después, tras un proceso fiable y objetivo de diagnóstico, se demuestra que no lo son».

Es cierto que, en un primer momento, el Ministerio de Educación creyó que la identificación podían hacerla los equipos de orientación psicopedagógica y los departamentos de orientación de los mismos colegios, por lo que dictó la orden de 14 de febrero de 1996. Este proyecto se apoyaba en el previo cumplimiento del apartado 2.º del artículo 10 del Real Decreto

696/1995 de 28 de abril, que había promulgado 9 meses antes y que determinaba que los equipos de orientación educativa y psicopedagógica, así como los departamentos de orientación de los colegios, contarían con profesionales formados especialmente para atender a este alumnado.

Pero aquella orden ministerial de 1996 nació muerta, ya que no se puede alumbrar lo que nueve meses antes no se había gestado y, pasados los años, sigue en proyecto de gestación.

El Ministerio de Educación, en el capítulo «Marco normativo y consideraciones previas» de su citado informe, y después de exponer las normas que constituyen el marco normativo, hace estas consideraciones previas:

- «Ahora bien, al intentar llevar a la práctica educativa la normativa vigente, nos encontramos con algunas situaciones que, desde nuestro punto de vista, deberían modificarse.»
- «Al contrastar la normativa legal con la realidad práctica se puede llegar, entre otras, a las conclusiones siguientes...»
- «El primer paso para determinar la respuesta educativa más idónea para atender a las necesidades de estos alumnos debe ser su "identificación" a través de los procesos de "detección" y de "evaluación psicopedagógica". En el primero pueden y deben intervenir tanto los profesores como los padres, mientras que el proceso de evaluación es específico de los especialistas y de los miembros de los equipos de orientación.»
- «A los miembros de los equipos de orientación educativa no se les permite la emisión de los dictámenes al cumplimentar los informes correspondientes de los alumnos con sobredotación intelectual».

Y más adelante concreta:

«Recordemos que si bien en casa, o en el colegio, hemos detectado un niño por sus características y su comportamiento como potencialmente superdotado, éste ha de ser identificado como tal por un grupo de especialistas (orientadores, psicólogos, psicopedagogos) que, a través de diferentes pruebas, confirmen las observaciones iniciales.»

Como puede comprobarse, el ministerio ya no cita a los equipos de orientación psicopedagógica de los colegios.

En su libro *Niños superdotados*, Acereda afirma: «Sólo un especialista podrá llegar a dilucidar si el sujeto es o no es superdotado.»

También hay que decir que cuando los padres de niños con altas capacidades intelectuales encuentran resistencias por parte del colegio en la aplicación de las medidas escolares dictaminadas en la identificación, se ven obligados a acudir a los tribunales de Justicia. Ya hemos visto en el apartado dedicado a la jurisprudencia que los tribunales superiores de Justicia siempre emiten sentencias a favor del niño (de los padres), basándose en el dictamen emitido por un centro especializado independiente, y en contra del colegio: profesores y equipos de orientación psicopedagógica. Ahora bien, ¿qué ocurriría si el dictamen lo tuvieran que emitir los mismos equipos de asesoramiento psicopedagógico de los colegios? Pues que el derecho fundamental a la diversidad, que emana de nuestra Constitución y constituye la esencia de la democracia, quedaría convertido en la perversión del derecho al pasar, los colegios y sus equipos, a ejercer simultáneamente las funciones de juez y parte.

La sentencia n.º 96 del Tribunal Superior de Justicia de Castilla-La Mancha, Sala de lo Contencioso Administrativo, Sección Segunda, de 13 de febrero de 2002 (Autos 715/001), deja las cosas muy claras. De una parte, la niña de 6 años, Bárbara, representada por sus padres, quienes interpusieron la demanda; de otra, el Equipo de Asesoramiento Psicopedagógico de la administración educativa de la comunidad autónoma, ejerciendo su defensa los servicios jurídicos de la Administración. Por su parte, los magistrados basan su criterio en el dictamen del Centro de Identificación Especializado, en este caso el de Valencia, dirigido por el psicólogo especializado Francisco Gaita Homar.

El Tribunal Superior de Justicia, en la sentencia y con relación al dictamen del Centro de Identificación Especializado, acuerda:

> «Dar al informe pericial aportado una consideración similar a la que tendría el emitido por perito judicial designado con las debidas garantías.»

Y añade:

> «El dictamen presenta las máximas consideraciones a efectos probatorios (...). El perito ha actuado con todo el rigor y la objetividad que cabe exigir, guiado únicamente por los conocimientos adquiridos en su dilatada carrera y por el interés superior del menor.»

Y ello en base a que:

> «...un experto emita una opinión rotunda y clara».

El tribunal ordena que la niña salte, no un curso —que es lo máximo que la orden ministerial permite—, sino dos. Y con relación a esa orden declara:

> «Por tanto, la orden resulta ilegal en el punto en que establece los límites de flexibilización con carácter incondicionalmente obligatorio.»

En el fallo de la sentencia, el Tribunal Superior de Justicia condena a la administración educativa autonómica y a su Equipo de Orientación Educativa y Psicopedagógica que aplique y controle la respuesta educativa indicada por el centro especializado, ordenando su actuación inmediata y exigiéndole que, en su caso, proponga posibles medidas complementarias:

> «Condenamos a la Administración a que proceda de inmediato a llevar a cabo su adaptación a dicho nivel bajo control del Equipo de Orientación Educativa y Psicopedagógica que propondrá, en su caso, las adaptaciones curriculares que procedan.»

El tribunal ordena que la niña salte dos cursos de forma inmediata, a pesar de encontrarse en pleno curso (13 de febrero), con el siguiente fundamento:

> «En el acto de ratificación del informe, el perito Sr. Gaita Homar manifestó la inexistencia, a su juicio, de impedimentos a la adaptación pese a que el curso esté comenzado, siempre que se haga bajo el debido control y de forma progresiva.»

Por esto, la independencia de los Centros de Identificación Especializados está siempre en el mismo «fiel de la balanza» en que se halla el juez o el tribunal, porque la Justicia se basa en sus dictámenes, mientras que los equipos de Asesoramiento Psicopedagógico de los colegios son una parte interesada y suelen resultar condenados por los tribunales superiores de Justicia a aplicar las medidas educativas indicadas por dichos centros en sus dictámenes.

Para obtener las señas de los diferentes Centros de Identificación Especializados que existen en España, puede dirigirse a la Confederación Española de Asociaciones de Superdotación (Tel. 91-5420509 / E-mail: confederacion_ceas@hotmail.com) o al ya citado Instituto Catalán de Superdotación.

e. Los Centros de Identificación Especializados

Como afirma Acereda, «los padres de hoy suelen ser los primeros en sospechar que su niño es "diferente" a los demás. O más bien que su manera de pensar es distinta a la de los otros niños de una edad cronológica similar». Sin embargo, muchas veces pueden verse frenados de llevar a su hijo a un centro de identificación para la evaluación diagnóstica de sus capacidades, al pensar: «¿Y si del examen sale que nuestro hijo no es un superdotado? Quedaremos fatal ante los especialistas.»

Es muy importante apartar este temor infundado, porque la detección y evaluación de *todos* los niños es el primer paso de un proceso integral educativo. Veamos lo que dice el Ministerio de Educación al respecto:

> «El proceso integral educativo tiene un punto de partida: la detección y evaluación del alumno (...). Todo sistema educativo, público o privado, serio y responsable, debe integrar un proceso operativo de detección y evaluación diagnóstica de las capacidades, potenciales y fácticas, de todos y cada uno de los alumnos...»

La evaluación descubrirá las capacidades potenciales y fácticas. Estos talentos ocultos, que todos tienen, deben ser correctamente estimulados, permitiendo el adecuado desarrollo evolutivo de la personalidad. Porque educar a un niño significa conocer sus diferentes necesidades cognitivas, afectivas, sociales y escolares; significa conocer el punto de partida de su desarrollo evolutivo y obtener una comprensión global suficiente de este proyecto de futuro. El Centro de Identificación Especializado recogerá información de los padres, y a través de ellos del colegio, y tras unos pocos encuentros podrá entregar el dictamen psicopedagógico completo.

Para los niños, la realización de los tests suele ser agradable. Al terminar la última sesión, acostumbran a preguntar: «¿Así que ya no podré venir ningún día más?»

Normalmente este día marca un antes y un después en su vida. Podríamos hablar del caso de varios chicos y chicas a quien los demás niños, incluso los profesores o a veces sus mismos padres, les consideraban «raros», «tontos» o cuando menos «holgazanes», y al aclararse su situación y conocerse su «diferencia», ponerse inmediatamente en marcha las medidas correspondientes y cambiar todo.

Porque sólo se puede amar lo que se conoce, es preciso amar esa diferencia hasta que, socialmente, el niño ya no tenga que sentirse diferente.

f. El Instituto Catalán de Superdotación

Uno de estos Centros de Identificación Especializados es el Instituto Catalán de Superdotación de Barcelona. A los profesionales que en él trabajan se les exige, además de la especialización, una formación complementaria a la licenciatura en Psicología, como Pedagogía o Terapia Cognitivo-Social, para poder integrarse en el equipo multiprofesional en el que hay médicos, abogados...

Cada dictamen psicopedagógico debe ir firmado, al menos, por cuatro profesionales, de los cuales dos son psicólogos especializados, uno profesor y otro médico. La figura de este último tiene una importancia complementaria, no sólo para la evaluación sensorial, sino también para detectar posibles somatizaciones. Hay niños con alta capacidad intelectual cuyos síntomas de disincronía fueron considerados por el pediatra o por el psiquiatra como indicadores de hiperactividad, depresión o ansiedad, y que se encuentran bajo los efectos del tratamiento farmacológico. Cada vez son más los casos que pediatras y psiquiatras derivan a los Centros de Identificación Especializados.

La misión del abogado también es importante, porque la medida escolar consignada en el dictamen psicopedagógico debe, a su vez, deducirse del marco legal, por lo que el letrado ha de justificar su aplicación en base al Derecho.

Todos estos profesionales se reúnen en una «sesión clínica» y debaten la valoración y las medidas a adoptar. El psicólogo ponente las presenta y las defiende, mientras que otro miembro del equipo intenta rebatirlas. Finalmente, la firma en el dictamen de todo el equipo interdisciplinar es signo de que se ha alcanzado un criterio unánime.

Es ya norma del Instituto Catalán de Superdotación, al finalizar sus dictámenes psicopedagógicos en los que se indica una medida escolar concreta, por ejemplo un ACI (adaptación curricular individualizada), ofrecerse a los profesores del niño para cuanta información y asesoramiento puedan necesitar en su diseño, en su ejecución o en su posterior evaluación. Habitualmente se desplazan a los centros y mantienen reuniones con los profesores y los miembros del Equipo de Asesoramiento Psicopedagógico. Y ello sin coste alguno para los padres ni para el colegio.

El apoyo que el Instituto Catalán de Superdotación tiene de la Asociación de Padres y de Niños Superdotados de Cataluña (AGRUPANS), y específicamente de su Junta Consultiva, formada por prestigiosos catedráticos de Pedagogía y de Psicología, permite ofrecer una formación complementaria a los profesores de los niños. El doctor Ignasi Puigdellívol, catedrático de Psicología de la Universidad de Barcelona, en una reciente entrevista a la revista *Ensenyament* —editada por AGRUPANS— explicaba la finalidad docente y de investigación científica que tiene la universidad, y añadía que las universidades públicas tienen además otra finalidad: el servicio a la comunidad.

Ciertamente, el asesoramiento a los profesores de los niños identificados como superdotados es la mejor acción de servicio a la comunidad que se puede ofrecer hoy a la sociedad desde una facultad de Pedagogía.

El Instituto Catalán de Superdotación promueve, a su vez, otra actuación: la organización de los cursos de formación pedagógica, especializada en altas capacidades intelectuales, para los miembros de los Equipos de Asesoramiento Psicopedagógico de los colegios y para los inspectores de Educación. Estos cursos podrán dar paso, en el futuro, a otros de innovación pedagógica en el marco de la actualización profesional permanente. La formación específica debe contemplarse como parte consustancial de la formación de los futuros pedagogos y psicopedagogos. Por ello, la tercera iniciativa que el Instituto Catalán de Superdotación promueve en este campo consiste en introducir esta formación específica como asignatura de crédito libre en las facultades. Y todo esto con un objetivo preciso: posibilitar la respuesta escolar que los chicos y chicas más inteligentes necesitan. De nada serviría la evaluación precisa del niño, su diagnóstico con todas las consideraciones complementarias, médicas y jurídicas, si los padres, con un impecable dictamen psicopedagógico en sus manos, siguieran encontrando dificultades en la aplicación práctica de la medida escolar necesaria.

Así, el Instituto Catalán de Superdotación encuentra su razón de ser en que *ninguna respuesta educativa dictaminada quede sin su rápida aplicación práctica*, si bien su principal finalidad no es sólo la evaluación y el diagnóstico, sino detectar y descubrir las capacidades potenciales y fácticas que todos los niños tienen.

Otra función del Instituto Catalán de Superdotación se encuentra en su PSSD (Programa de Superación del Síndrome de

Disincronía) que, además, actúa sobre el Efecto Pygmalión negativo.

La adecuada respuesta escolar es fundamental y necesaria para superar la disincronía escolar, pero en los niños precoces, en los talentos académicos, en los talentos lógicos y en los superdotados coexisten las otras disincronías a las que nos hemos referido. Lo importante es que desde un correcto abordaje inicial, el niño puede mejorar sensiblemente, pero la constancia en el tratamiento es la garantía de su superación definitiva.

Con frecuencia se dice que en el Instituto Catalán de Superdotación hacen «milagros» con estos chicos, que cambian radicalmente en muy poco tiempo. La ciencia, aplicada por profesionales expertos, hace posible que chicos y chicas que antes no querían ir al colegio, que se aburrían en clase y tenían conductas de oposición a los profesores, que mostraban un bajo rendimiento escolar, empezaran a rendir de pleno al hallar la motivación necesaria y reencontrarse consigo mismos, siempre con el apoyo afectivo de sus padres.

g. Otros Centros de Identificación Especializados

No es posible hablar de los Centros de Identificación Especializados sin citar, por ejemplo, el Centro Educativo Huerta del Rey en Valladolid. Dirigido por la doctora Yolanda Benito, imparte programas de ampliación extracurricular y, desde 1989, pone en práctica el Modelo de Enriquecimiento Psicopedagógico y Social (MEPS) basado en el estudio internacional realizado conjuntamente con otros centros de diferentes países desarrollados. Se trata de un modelo de gran utilidad para el desarrollo de los currículos regulares y favorece el desarrollo íntegro de la personalidad del niño.

En Valencia, y en estrecha colaboración con AVAST (Asociación Valenciana de Apoyo al Superdotado), funciona desde hace muchos años un Centro de Identificación Especializado que dirige el científico Francisco Gaita. Al amparo de las asociaciones de superdotación o en estrecha relación con ellas, funcionan de forma ejemplar diferentes Centros de Identificación Especializados como la Sociedad Aragonesa de Psicopedagogía (Zaragoza), la Asociación de Altas Capacidades de Galicia (Santiago de Compostela) o la Asociación de Padres y de Niños Superdotados de Cataluña (Barcelona).

VI. LA RESPUESTA EDUCATIVA DEL COLEGIO

Los niños con altas capacidades intelectuales están legalmente reconocidos en España como alumnos con «necesidades educativas especiales» (n.e.e.). Tienen el mismo derecho que los niños con deficiencias a recibir un programa escolar especial dentro del marco del «derecho a la diversidad».

Veamos lo que, sobre el particular, dice el Ministerio de Educación en su informe del año 2000:

> «Un sistema educativo serio y responsable no puede contentarse con este primer paso del proceso educativo (detección y evaluación). Debe, por exigencia intrínseca del proceso integral educativo, atender y dar respuesta educativa práctica a las características y necesidades individuales que la detección y evaluación ha descubierto. Sería como una "traición educativa" saber cómo es un alumno y abandonarlo luego, sin ofrecerle una atención educativa adecuada a sus específicas necesidades y características.»

¿Cuáles son las principales respuestas escolares para los chicos y chicas más inteligentes?

<table>
<tr><td rowspan="5">DIVERSAS RESPUESTAS EDUCATIVAS</td><td>ENRIQUECIMIENTO CURRICULAR</td><td>Adaptación Curricular Individualizada (ACI) por la ampliación y profundización de los contenidos del currículo.</td></tr>
<tr><td>FLEXIBILIZACIÓN/ ACELERACIÓN</td><td>Aceleración del período de escolarización: bien anticipando el comienzo de la escolarización obligatoria, bien reduciendo su duración por adelantamiento de cursos.</td></tr>
<tr><td>AGRUPAMIENTO</td><td>Composición de grupos homogéneos de alumnos sobredotados, convivencia entre iguales.</td></tr>
<tr><td>PROGRAMAS DE ENRIQUECIMIENTO EXTRAESCOLARES</td><td>Entrenamiento cognitivo y reajustes de personalidad en convivencia con iguales, fuera del ámbito curricular y escolar.</td></tr>
<tr><td>OTRAS ESTRATEGIAS EDUCATIVAS</td><td>• Programas con profesores/ consultores.
• Aula de apoyo o cuarto de recursos.
• Programa con un mentor comunitario.
• Programa de estudios independientes.
• Clase especial.
• Talleres, convocatorias, etc.
• Bachillerato Internacional.
• Competiciones...</td></tr>
</table>

Dos son las respuestas educativas escolares que se aplican con mayor frecuencia: la Adaptación Curricular Individualizada (ACI), como forma de enriquecimiento curricular, y la Aceleración o flexibilización del período escolar obligatorio.

a. La Adaptación Curricular Individualizada

Es, sin duda, la estrategia educativa que ha demostrado mayor efectividad global. Se trata de una medida integradora que armoniza la enseñanza personalizada con la atención a las necesidades educativas de todos, sin separar a nadie y sin sobrecargar el horario. El principal inconveniente es que necesita una buena formación específica de los miembros de los Equipos de Asesoramiento Psicopedagógico y de los profesores, además de recursos económicos por parte del colegio.

Veamos, en conjunto, sus principales ventajas e inconvenientes según el MEC:

VENTAJAS	INCONVENIENTES
• Motivación académica. • Socialización más normalizada. • Comparten espacios. • Comparten actividades grupales y lúdicas con compañeros de su misma edad. • Trabajan objetivos adecuados a sus recursos intelectuales. • Es la estrategia más integradora. • Contempla el desarrollo personal del alumno en todos sus ámbitos.	Necesita de una buena formación específica de los profesores, bien informados y motivados. Mayores recursos y por tanto mayor coste. Los ajustes curriculares individualizados requieren el trabajo en equipo de varios profesionales; psicopedagogos y orientadores, y profesores. Preparación de material específico. La amortización de estos productos es algo menor que en las estrategias de «agrupamiento». Exigencia de infraestructura.

¡Cuidado con las adaptaciones curriculares falsas!

A veces los padres, en la lucha que mantienen con los Equipos de Asesoramiento Psicopedagógico y los profesores del colegio para conseguir que apliquen a su hijo la adaptación curricular que necesita, entran en una fase de relajación, se olvidan del tema y lo dejan en manos del centro. Surgen así muchas adaptaciones curriculares *falsas*.

Unas se hacen dando al alumno «más de lo mismo», es decir, aumentando la cantidad de tareas, lo que incide en los aspectos repetitivos de la enseñanza y crea mayores problemas a estos niños que huyen de esos planteamientos que tanto les aburren y les angustian. Otras adaptaciones se diseñan en base a los contenidos de los próximos niveles, con lo cual, el aburrimiento que cesa durante un curso vuelve al siguiente. Pan para hoy y hambre para mañana. Y, por último, están los casos en los que se presta a los niños una atención personal al margen del resto de la clase.

El doctor Ignasi Puigdellívol, catedrático de Pedagogía Didáctica de la Universidad de Barcelona y miembro de la Junta Consultiva de AGRUPANS, explicaba con claridad en una entrevista concedida a la revista *Ensenyament* que «una adaptación curricular bien hecha ha de tener muy clara la conciencia de cuáles son las necesidades del alumno y cuál es el nivel de aprendizaje que se espera alcanzar, en el contexto del programa común, del grupo, tomado como referencia».

A partir de aquí, una adaptación ha de disponer de los instrumentos necesarios para que el niño con necesidades o posibilidades diferentes de los demás pueda implicarse en las actividades del grupo, sacando provecho de las mismas. Además, hay que tener en cuenta que las adaptaciones curriculares bien hechas enriquecen el trabajo que se hace con el resto de la clase y resultan útiles para todos como innovación didáctica.

Es muy importante no confundir una adaptación curricular individualizada con la enseñanza individualizada, porque son dos cosas que no tienen nada que ver. Con la primera lo que se pretende es que el alumno participe de la actividad del grupo, teniendo en cuenta que para estos niños, como para todos, la enseñanza es un proceso fundamentalmente social.

¿Qué pueden y deben hacer los padres?

Muy sencillo: pedir al Equipo de Asesoramiento Psicopedagógico o a los profesores del colegio una copia del diseño o programa de la adaptación y consultarlo con un Centro de Identificación Especializado. En realidad, antes de iniciar dicha adaptación el colegio debe presentar su diseño a los padres, para que éstos den su aprobación. Lo mismo ocurre en el caso de una aceleración y, especialmente, de una ampliación curricular, que no es igual que una adaptación.

Otra cosa que los padres deben vigilar es que su hijo no sea víctima de lo que algunos expertos llaman el «efecto cajón», refiriéndose a esas situaciones en las que el Equipo de Asesoramiento Psicopedagógico diseña una correcta adaptación curricular, la presenta a los padres que quedan encantados y, a continuación, la guarda en un cajón.

Tras el diseño de una adaptación ha de venir su aplicación, que además comporta una evaluación. Una aplicación que debe ser inmediata, sin dilación alguna, en el mismo momento en que se identifica al niño, aunque se encuentre en pleno curso escolar. Como ordenan los tribunales de Justicia, de acuerdo con el artículo 37.2 de la LOGSE, «la atención a los alumnos con necesidades educativas especiales se iniciará desde el momento de su detección».

b. La aceleración o flexibilización del período escolar

Es la respuesta educativa más conocida. Permite entrar antes en el período de escolaridad obligatoria o adelantar cursos. Entre otras cosas, significa perder a los compañeros, porque el niño pasa a otra clase, con un grupo de edad mayor, lo que requiere una madurez emocional superior.

Veamos las principales ventajas e inconvenientes que presenta la aceleración (MEC, 2000):

VENTAJAS	INCONVENIENTES	TIPO DE ALUMNOS MÁS ADECUADOS
• Economía de medios. • Motivación académica de los alumnos. • Estategia rápida y económica. • Permite al superdotado, en una edad más temprana, adoptar responsabilidades propias de adultos. • Aumenta la motivación. • Rendimientos académicos superiores.	• Socialización. • Desarrollo emocional. • El desarrollo físico (sobre todo si existe una aceleración intensiva: varios cursos por encima de su edad cronológica). • No presentan un avance de conocimientos por igual en todas las áreas o materias. • Pueden producirse «lagunas».	• Elevada madurez emocional. • Muy buenas habilidades sociales. • Superdotados con buen rendimiento académico, con altas habilidades en razonamiento: – Verbal – Matemático.

VENTAJAS	INCONVENIENTES	TIPO DE ALUMNOS MÁS ADECUADOS
• Si terminan antes sus carreras pueden realizar estudios de postgrado. • Pueden optar por realizar más de una carrera. • Formación más sólida. • Muestra mayor interés y un elevado índice de motivación. • Las relaciones personales (en la universidad) suelen ser buenas ya que se establecen no tanto según la edad cronológica sino según las capacidades intelectuales. Suelen tener una formación académica muy buena ya que su productividad y su creatividad están al nivel más alto.	• No reciben una enseñanza individualizada, adaptada a sus necesidades, sino el mismo programa de los alumnos mayores con los que se ubican. • Pueden sufrir presiones sociales o emocionales. • Pueden producir rechazo. • Posibles dificultades en las relaciones personales. • Posibles dificultades en la participación en actividades extracurriculares, como el deporte y la música. • Dificultad para seguir viviendo cerca de los padres (aspecto afectivo/relacional). • El terminar la carrera a edades tempranas puede tener la dificultad de no encontrar trabajo.	• Elevada madurez emocional. • Muy buenas habilidades sociales. • Superdotados con buen rendimiento académico, con altas habilidades en razonamiento: – Verbal – Matemático.

Amparo Acereda, psicóloga, pedagoga y especialista en altas capacidades, a quien ya nos hemos referido, se muestra más crítica en la aplicación de la aceleración a los niños superdotados. En su libro ofrece este esquema de ventajas e inconvenientes:

VENTAJAS	INCONVENIENTES
1. Positivo adelanto en el dominio del aprendizaje, tanto a nivel de técnicas como de formación. 2. Avance a partir de un ritmo más rápido y un destacado dominio en conocimiento y en su aplicación. 3. Evita que se produzcan resultados negativos para el buen desarrollo de sus potencialidades (aburrimiento, indisciplina, fracaso escolar, etc.). 4. Resulta motivante para el superdotado. 5. Resulta rápido y económico.	*a)* Olvida un elemento importante, que es el de que la superioridad intelectual no tiene por qué estar asociada a un desarrollo afectivo igualmente avanzado. *b)* Puede provocar problemas de tipo emocional y social al superdotado, como la «disincronía evolutiva» (Terrassier, 1989). *c)* Resulta adecuada para niños con talento académico, pero no para otros tipos de talento. Y mucho menos aún para la superdotación. *d)* Parte en su aplicación de la ampliación «vertical» de contenidos, no apropiada para los sujetos superdotados.

Muchas veces, la aceleración es considerada la respuesta escolar más fácil. Su aplicación despierta, por lo general, muchas menos resistencias por parte de los equipos de asesoramiento psicopedagógico, los profesores o la dirección del colegio. Ante un niño con altas capacidades intelectuales, resulta más sencillo pasarle a otro curso superior que tener que diseñar, aplicar y evaluar permanentemente una adaptación curricular individualizada o cualquier otro programa de enriquecimiento curricular o extracurricular, que requiere un trabajo complementario, permanente, sin retribución económica complementaria.

Con frecuencia, los padres luchan desesperadamente para que se aplique una aceleración a su hijo. Incluso algunos acuden a los tribunales de Justicia para conseguirlo. Por ejemplo, el Tribunal Superior de Justicia de Canarias ha dictado hasta la fecha más de veinte sentencias y tiene otros diez casos pendientes. Los padres que luchan por esta medida saben que su aplicación práctica es evidente, en contraste con otras respuestas que, si bien permiten mantener al niño con sus compañeros, su seguimiento resulta más complicado; y saben, también, que la falta de formación específica de los equipos de asesoramiento de los colegios y de los profesores puede hacerles vivir permanentemente en la duda de si con su hijo se está llevando a cabo una verdadera o una falsa adaptación curricular.

Pero en realidad se equivocan los profesores y los miembros de los equipos de asesoramiento psicopedagógico de los colegios que optan por la aceleración para evitar otros trabajos, porque una aceleración bien hecha no se puede limitar a transferir al niño a un nivel superior, ya que una vez en este nivel el alumno necesitará igualmente que se le adapte el currículo.

Veamos lo que dice el Ministerio de Educación sobre el particular:

> «Esta opción implica necesariamente la correspondiente adaptación individual del currículo del alumno.»

El Tribunal Superior de Justicia de Castilla-La Mancha, en su sentencia 96/2002 de 13 de febrero de 2002 (autos 715 de 2001), establece los criterios asumiendo el informe del Centro de Identificación Especializado de Valencia que dirige Francisco Gaita Homar:

> «Bárbara (...) pertenece al tipo de niño sobredotado de tipo "convergente". Es decir, su edad mental converge con su madurez socioafectiva, a diferencia de los niños sobredotados "divergentes", en los que la edad intelectual diverge de su madurez afectiva y social. En este último caso (niños sobredotados divergentes), la adecuación del curso a la estricta edad mental no resulta conveniente, por los

desequilibrios que se podrían producir en el aspecto de madurez socioafectiva. Sin embargo, en el caso de los niños sobredotados convergentes es posible una aceleración educativa de más calado, pues la misma no supone ocasionar una divergencia o inedecuación acusada entre el nivel socioafectivo de los compañeros que la rodeen en el nuevo curso y los de la menor, sino al contrario.»

En todo caso, hay que decir que la duda entre una respuesta escolar y otra no debe preocupar a los padres si decidieron llevar a su hijo a un Centro de Identificación Especializado. Los profesionales cualificados no sólo evaluarán las capacidades del niño, sino que además establecerán la respuesta escolar precisa que su hijo necesita, consignándolo en el dictamen psicopedagógico, en el que la respuesta escolar viene justificada desde el punto de vista psicopedagógico y desde el punto de vista jurídico, lo que constituye una de las principales responsabilidades del gabinete jurídico de un Centro de Identificación Especializado. Además, facilitarán su aplicación en el colegio asesorando a los profesores del niño, si lo solicitan.

VII. LA RESPUESTA EDUCATIVA DE LOS PADRES

Si no existe responsabilidad más difícil y a la vez más importante que la de ser padres, cuando se trata de un hijo con altas capacidades intelectuales la tarea resulta todavía más ardua y delicada. Sus extremas capacidades pueden llegar a «desbordar» incluso al padre más concienzudo, como afirma Amparo Acereda.

Desgraciadamente, los padres de estos niños diferentes no encuentran en el entorno más inmediato sino la incomprensión del desconocimiento. Se sienten solos e impotentes ante la inercia exasperante de seguir la norma general sólo por ser lo más fácil. Pero no están solos. En España, ya hemos dicho, hay más de trescientos mil niños superdotados. En alguna de las asociaciones citadas encontrarán, sin duda, comprensión y asesoramiento.

Como afirma Y. Benito (1992), «si su hijo es superdotado no sólo tiene más inteligencia que los niños de su edad. Su diferencia no es sólo intelectual y cuantitativa, también es cualitativa y emocional. Piensan de otra manera. Aprenden y ven los problemas de otra manera. Ven el mundo de otra manera». Los padres de niños con altas capacidades deben conocer bien a su hijo y no limitarse a tener una idea general del grupo al que pertenece; deben informarse bien acerca de la esencia de ese proyecto de futuro que es su hijo. En la Web: www.xarxabcn.net/instisuper pueden encontrar amplia bibliografía.

Para educar a un niño superdotado no es necesario que los padres también lo sean ni que se conviertan en expertos en la materia. Lo importante es que le acepten como es y le quieran. Y que no olviden «que su superdotación no debe sobrevalorarse por encima de las otras cualidades importantes de su desarrollo integral» (Weissler y Landau, 1992).

a. Para todos los padres de los más inteligentes

La educación de un hijo de altas capacidades intelectuales, en el hogar, se apoya en los criterios educativos básicos que no pueden ser sustituidos, y siempre complementados por otros más específicos.

Varios especialistas han estudiado el tema. Veamos, en primer lugar, los 15 criterios generales, que para la correcta educación —complementaria— de un hijo más inteligente, en el hogar, nos ofrecen Milne y Davis (1996).

1. Recuerde que su hijo superdotado es todavía un niño. No importa su alto nivel intelectual, las necesidades fisiológicas de, por ejemplo, un niño superdotado de diez años cronológicos son las mismas que las de un niño no superdotado, aunque distintas investigaciones han mostrado que sus necesidades sociales y emocionales se aproximan más a su edad intelectual.
2. Motive a su hijo a asumir riesgos intelectuales, pero sin presionarle. Los niños superdotados conocen sus límites y se animan a sí mismos cuando se les estimula, se les motiva o se les reta. Las presiones del entorno familiar a menudo les hacen encerrarse en sí mismos.
3. Elogie a su hijo superdotado por sus logros y por su perseverancia. La ansiedad que les produce el querer conseguir sus objetivos hace que se les tenga que alabar y tranquilizar frecuentemente. Ayúdele en sus esfuerzos y aprenda, a su vez, cómo su hijo precisa ayuda y guía también.
4. Escuche a su hijo. Préstele atención. Su curiosidad le hace preguntar continuamente sus dudas. Su prodigiosa mente necesita que se las contesten. Su inteligencia tiene la necesidad de ser estimulada y nutrida. Proporciónele acceso a todo tipo de fuentes educativas, tales como libros, revistas, enciclopedias, ordenadores-internet y todo tipo de información basada en recursos.
5. Apoye a su hijo superdotado en la búsqueda y seguimiento de sus pasiones e intereses. No fuerce que sus aspiraciones se tornen incumplidas, ni que afloren las frustraciones propias en él. Déjele aspirar a lo que él desee ser y no a lo que usted quiere que sea.
6. Recuerde que su hijo es también humano. Déjele vivir como a él le guste. No le exija que esté despierto y «trabajando» cada minuto del día. Su mente se estimula también cuando está leyendo, jugando, sueña despierto o está viendo la televisión.
7. Visite con su hijo bibliotecas, librerías, museos, galerías de arte, zoológicos, exposiciones científicas, lugares históricos y sitios de interés. Déjelo participar en clubs o asociaciones.
8. Fomente su originalidad. Ayúdele a conseguir y hacer todo aquello que responda a sus elevados intereses, alabando sus producciones como si fuesen «únicas en el mundo entero». De este modo, le ayudará a enorgullecerse del trabajo original y creativo.
9. Recuerde lo fina y frágil que es la línea que separa el «alentar», y el «presionar», lo que puede marcar la diferencia entre un niño superdotado feliz y productivo y un niño superdotado insatisfecho y con bajo rendimiento escolar.
10. Por lo general, los niños superdotados tienen una aguda conciencia de los problemas adultos, tales como la vida/la muerte, el bien/el mal, la enfermedad, la guerra, el hambre, etc. Debido a su falta de experiencia y a las carencias propias de su edad, son incapaces de llegar a resolverlos, de manera que necesitan de su orientación y de su apoyo para reasegurarse en estas áreas.

11. Respete al niño y a su conocimiento. Esto, la mayoría de las veces, suele ser mejor y más positivo que el anuncio de su propia impaciencia y autoridad. Asuma que los fallos que cometa su hijo no son intencionales, sino que él siempre pretende hacer bien las cosas. Por tanto, no imponga su autoridad paterna excepto en crisis y problemas importantes. Permítale mucha libertad en temas poco trascendentes o en materias insignificantes.
12. Ayúdele con sus habilidades de estudio. Oriéntele y guíele en cómo planificar sus tareas escolares, así como también sus deberes, obligaciones y proyectos en el hogar y en la comunidad.
13. No compare a su hijo superdotado con hermanos o amigos que no lo son. No lo favorezcan o lo elijan para algo simplemente porque él es superdotado. Esto causará celos, resentimiento, alejamiento y rechazo entre sus compañeros o hermanos.
14. Enseñe y exija disciplina a su hijo superdotado del mismo modo que a sus hermanos o amigos que no lo son. No lo estropee simplemente porque él es superdotado. Enséñele lo bueno desde lo malo. La superdotación no puede nunca ser una excusa para un comportamiento inaceptable.
15. Por último, recuerde que usted también es humano. Tiene una vida que vivir. Necesitará ayuda, orientación, apoyo y comprensión para apreciar y responder a las necesidades especiales de su hijo, sin que surjan sentimientos de inferioridad. Los sentimientos hostiles pueden conducirle, sin apenas darse cuenta, a la sobreprotección o a la dominación. No tema pedir ayuda para alcanzar sus objetivos.

En síntesis, disfrute de su hijo superdotado. De todos los posibles «problemas» que pueden llegar a tener los niños, la superdotación es, seguramente, el mejor de ellos. Los niños superdotados son curiosos, entusiastas, dinámicos, y se emocionan y excitan con las cosas y los temas novedosos. Además, son capaces y competentes a la hora de comunicarse con los demás ya desde muy temprano. En consecuencia, tome vitaminas... y ¡diviértase con ellos!

b. Cuando su hijo además es un perfeccionista

Ya hemos visto que el perfeccionismo es una característica general de los niños más inteligentes, pero con frecuencia éste se presenta de una forma excesiva; hace sufrir al mismo niño y también a los demás, empezando por los hermanos —si los hay— y siguiendo por los padres, los compañeros y los allegados. Esto ocurre especialmente en aquellos que mantienen un buen nivel de rendimiento escolar.

¿Cómo ayudar a estos hijos? Veamos los criterios que nos ofrecen Ginsberg y Harrison (1995):

- Ayude a su hijo a comprender que puede estar satisfecho cuando sienta que ha hecho «su» mejor, no necesariamente «lo» mejor. Las frases de elogio que le brinde han de ser entusiastas, pero preferiblemente más moderadas, pues de este modo conllevan valores que los niños pueden alcanzar; por ejemplo, «excelente» es mejor que «perfecto» y decirle «piensas de forma correcta» es mejor que decirle «eres brillante».
- Explíquele que los niños no aprenden ni mejoran si todo el trabajo es perfecto, que las faltas y errores son una parte importante del reto que implica el aprendizaje.
- Enseñe a su hijo la posibilidad de que haga una autoevaluación apropiada y anímelo a que aprenda a aceptar las críticas de los adultos y de otros compañeros. Enséñele coherentemente a cómo hacer críticas de los demás de forma sensata y constructiva.
- Léale las biografías que demuestran cómo las personas con éxito experimentaron y aprendieron de los errores. Enfatice sus experiencias de fracaso y rechazo así como sus éxitos. Ayude a su hijo a identificarse con los sentimientos de aquellas personas eminentes cuando experimentaron sus posibles fracasos.
- Comparta sus propias faltas y modele las lecciones aprendidas de los errores. Intente reírse de sus propias faltas, pues, sin duda, el humor ayuda.
- Enseñe a su hijo cómo el hecho de discutir y querer tener siempre la razón afecta a los otros. Asimismo, enséñele a cómo felicitar a los demás cuando logren éxitos.

- Enseñe rutinas, hábitos y organización a su hijo, pero ayúdele a entender que estos hábitos no deberían ser tan rígidos como para no poder nunca alterarse. A este propósito, rompa usted mismo las rutinas, con el fin de que su hijo no esté continuamente esclavizado por ellas. Por ejemplo, si hace su cama todos los días, insista en que deje de hacerla aquellos días en que usted tenga prisa. Si lee por la noche y un día es tarde, insista en que vaya a dormir sin leer. Algunas rupturas ocasionales en las rutinas modelan la flexibilidad.
- Enseñe a su hijo superdotado estrategias creativas para la resolución de problemas y cómo indagar sobre distintas ideas, pero haciendo que aprenda a evitar que la autocrítica llegue a interferir con su productividad.
- Explíquele que hay más de un modo correcto de hacer casi todo. Al mismo tiempo, sea un buen modelo de excelencia y de saber hacer. Enorgullézcase de la calidad de su trabajo, pero no esconda sus errores o sea constantemente autocrítico. Felicítese a usted mismo cuando haya hecho un buen trabajo y deje saber a su hijo que sus propios logros le producen satisfacción.

DÍGALE A SU HIJO:

- Busca amigos que sean estudiantes eficaces y serios, pues se ha comprobado que una mayor intensidad en su tiempo y calidad de estudio provoca una mayor intensidad en tu tiempo y calidad de estudio. Relacionarte tú mismo con amigos que se «escabullen» de sus obligaciones escolares puede hacerte sentir que estás estudiando más de la cuenta cuando tendrías suficiente con hacerlo mínimamente.
- Desarrolla y mantén unos hábitos regulares de comida y sueño, puesto que el agotamiento y la mala nutrición solamente incrementan tus sentimientos de llegar a sentirte abrumado por las obligaciones académicas.
- En el caso de que compagines el trabajo con el estudio universitario, no olvides que muchos estudiantes lo hacen, consiguiendo licenciarse sin problemas. Pero no debes olvidar que, aunque el dinero puede ser importante, has de proteger la inversión inicial que hiciste al matricularte, de manera que has de priorizar el tiempo dedicado al estudio antes que el tiempo dedicado al trabajo. Y si has decidido trabajar y estudiar simultáneamente, si es posible, busca un trabajo que te permita explorar las distintas opciones vocacionales o conseguir desarrollar una sólida base de experiencia para tu futura carrera profesional.

c. Cuando ya es un adolescente

Cuando el niño más inteligente ha dejado de ser un niño, ya es un adolescente o ingresa en la universidad, muchas veces la situación en casa se complica. No pocos padres no saben cómo afrontar la situación. Veamos las sugerencias que al respecto nos dan Webb, Meckstroht y Tolan (1992), así como Davis y Rimm (1993):

- Nunca debes saltarte una clase durante el primer cuatrimestre, por más que te parezca que las asignaturas que en él se imparten son aburridas o irrelevantes para tus intereses de estudio. Has pagado para recibir esta educación, y debes conseguir los frutos de esa inversión. El contenido de una conferencia o el de una clase magistral que pueda parecerte poco importante, puede ser parte de las preguntas de examen, de manera que si no asistes a ellas, no sabrás las respuestas correctas.
- Planifica para tu estudio personal al menos dos horas de tiempo por cada hora de clase recibida, por mucho que al principio la universidad te parezca fácil. Los profesores así lo recomiendan, de manera que asume estos consejos literalmente. Dos horas de tiempo dedicado al estudio no es un consejo válido exclusivamente para los alumnos «menos agraciados», sino para todos los alumnos. Lo ideal es que el tiempo de estudio se realice normalmente en un mismo lugar, ya sea en una biblioteca o en una habitación en la que no haya interferencias y se respete el silencio.
- Estructura tu tiempo de estudio sobre una planilla o calendario y hazlo, por lo menos, con una semana de anticipación. Visualizar el tiempo que ha de destinarse al estudio hace disminuir la presión y bajar la ansiedad.
- Si tienes dificultades con el contenido del curso, pide ayuda antes de fracasar, tanto a los profesores de la universidad, como a los compañeros de tu clase. Nadie va a ir a buscarte para ofrecerte su mano, sino que tú mismo debes iniciar la búsqueda de una ayuda dispuesta a ofrecerte una mejor comprensión del material que se está impartiendo en clase.
- Programa un tiempo dedicado al ejercicio físico, al menos, tres veces por semana. Si es posible, prográmalo diariamente, pues sus beneficios son mayores. El ejercicio fisico ayuda a que te sientas alerta y bajo control, proporcionando un óptimo alivio para las tensiones diarias.
- Planifica diariamente un breve tiempo para las relaciones sociales, y más tiempo durante el fin de semana. La vida social y las relaciones entre iguales son importantes para mantener un buen equilibrio psíquico y para fomentar el gusto por el aprendizaje. Pero recuerda: alcohol, drogas y estudios no son una buena combinación.

d. De charla con una madre

Tere es la madre de Ezequiel, un chico superdotado que ha estado cuatro años muy enfermo sin poder ir al colegio, pero que no ha perdido ni un solo curso. Ésta es parte de la conversación que mantuve con ella y con el chico.

—Tere, explícanos cómo era Ezequiel de pequeño.

—Ezequiel era un niño diferente. Cuando le llevaba a la guardería, veía a los demás niños alegres, jugando, pero a él siempre solo y triste en un rincón. Me daba una pena inmensa y pensaba que se trataba de un problema de adaptación, que era cuestión de dejar pasar el tiempo.

—Y más tarde, en el colegio, ¿cómo fue?

—Ezequiel tuvo una enfermedad muy grave en el aparato respiratorio y en el digestivo, lo que le impidió ir al colegio durante cuatro años. Estaba muy mal, no tenía defensas, se le caían las uñas... Yo iba todos los días al centro y llevaba sus deberes. Los profesores, al ver los esfuerzos que el niño hacía, le apoyaron y entre todos logramos que no perdiera ni un curso.

—Y en cuanto a su condición de superdotado, ¿cuál fue la actitud del colegio?

—Bueno, eso ya es otra cosa. Muchos profesores no saben lo que es un niño superdotado. Creen que tiene que lograr notas muy altas, y en realidad confunden al superdotado con el brillante. En el colegio se producen importantes resistencias a aceptar esta condición y resistencias, también, a darles la atención diferenciada que necesitan.

»Cuando les dices que tu hijo es un superdotado, la respuesta habitual suele ser: «¡Que me lo demuestre!», entendiendo que esta demostración ha de hacerse con resultados académicos brillantes, sin el apoyo de una atención personalizada, que es precisamente lo que necesitan para poder sacar resultados escolares satisfactorios. Al principio, Ezequiel iba mal, muy mal en el colegio, pero luego, con el profesor particular que le puse en casa, comenzó a dar los resultados propios de un niño prodigio. Pero claro, pagar a un profesor particular para que tu hijo pueda salir del círculo vicioso en el que se encuentra por la estrecha mentalidad de los colegios, no siempre resulta posible.

—¿Por qué, crees tú, que los colegios ven el tema como un problema?

—Porque no saben qué hacer con ellos, no los entienden, no están bien preparados para ello. A veces lo único a lo que están dispuestos es a acelerarles, es decir, pasarles a un curso superior. La cuestión es sacárselos de encima, así que les dan «una patada hacia arriba» y listo. Es difícil encontrar un profesor que de verdad se preocupe por ellos. Al fin y al cabo, ¿qué va a ganar si se complica la vida con una adaptación curricular?

»Las escuelas no están hechas para estos niños. Yo, de hecho, todavía estoy esperando que el psicólogo del colegio le vea por primera vez.

—¿Cómo hay que tratar a un chico superdotado?

—Como el niño diferente que es. Hay que tener muchísima paciencia, hay que saber estar ahí, hay que saber escucharles. Necesitan mucho cariño. Si un niño normal lo necesita, ellos tres veces más. Y paciencia también, tres veces más, como un niño deficiente. Si les chillas, se bloquean enseguida. Son extremadamente sensibles, muy susceptibles y propensos a crear malos entendidos. Pero si les sabes llevar, hacen lo que tú quieres.

—¿Y cuando son adolescentes?

—Pues hay que procurar evitar todo enfrentamiento y ayudarles a vencer ese miedo a no ser aceptados, que vienen arrastrando desde la infancia. A veces hacen cosas mal, no porque quieran hacerlas, sino por miedo a lo que los demás puedan decir. A veces se empeñan en que les compres regalos muy caros, pero hay que entenderles: lo único que están pidiendo es cariño.

—¿Cuáles son los principales rasgos de su carácter?

—Son muy observadores y de cualquier problema hacen una montaña. Cualquier cosa les afecta tremendamente, en especial en el plano sentimental. Es como si estuvieran emocionalmente bloqueados, pero en el fondo son superrománticos y superdetallistas. Viven atenazados por los miedos, que les impiden mostrarse como son. Lo que hay que hacer es darles confianza, no obligarles nunca y esperar que las cosas salgan de ellos mismos; evitar los enfrentamientos y tener mucho tacto.

»Es muy bueno llevarles a alguna asociación para que puedan conocer y relacionarse con otros chicos y chicas que son como ellos. Eso les permite reconocerse a sí mismos. Así, poco a poco, se sienten más seguros y son mejor aceptados por sus amigos. Ezequiel ya no tiene problemas. Ha ido a los Talleres de Superdotación de AGRUPANS. Incluso, es el que mejor comprende a los demás y le gusta ayudarles.

—Y en el colegio, ¿cómo crees que irá este curso?

—Yo creo que irá muy bien porque empezarán a aplicarle una adaptación curricular individualizada que le dictaminaron en el Instituto Catalán de Superdotación. Fueron al colegio, nos reunimos con el director y él encargó a la psicóloga del colegio que coordinara a todos los profesores de Ezequiel para diseñar su adaptación curricular.

—Ahora me gustaría charlar un poquito contigo, Ezequiel. Bueno, ya has oído a tu madre. Supongo que en algunas cosas tu opinión será diferente.

—No, ha acertado totalmente; es así, tal y como lo ha explicado.

—De pequeño, ¿te notabas distinto a los demás niños? ¿Cómo te sentías?

—De pequeño me aburría bastante en las clases y no comprendía por qué yo aprendía tan rápido y a otros les costaba tanto; si te digo la verdad, no lo comprendí hasta saber que soy superdotado. Los compañeros me apartaban por mi superioridad y yo me alejaba de ellos por sus reproches. Pensaba que me tenían manía.

—Tú sabes que el 70 por ciento de los niños superdotados tienen problemas en el colegio, mientras no se les hace la adaptación curricular que necesitan, y sin embargo *suspender* es una medida de los chicos «normales». ¿Qué pasa cuando a un chico superdotado no le hacen la adaptación curricular que necesita y encima le suspenden? ¿Le resulta difícil entender lo que realmente está pasando?

—Suspender implica un problema psicológico grave, porque pierdes a tu grupo de amigos y piensas en los nuevos compañeros como «unos críos a los que no aguanto». La cuestión es ser positivo y dar tiempo al colegio para que prepare la adaptación curricular. El problema surge cuando el centro no accede a hacerla o, peor aún, dice que la harán y va pasando el tiempo. Para un niño superdotado la adaptación es algo bueno, porque significa aprender más y aprender de otra manera; significa poder investigar, interrelacionar los contenidos que conforman el saber y la cultura humana...

—¿Tú tenías conciencia de ser superdotado?

—No. Sabía más o menos que tenía un C.I. más alto de lo normal, pero cuando me dieron el resultado, al principio no me lo creía; tardé en aceptarlo.

—¿Siempre hay mucha incomprensión en el entorno de un superdotado?

—Eso también depende del tipo de superdotado. Si él se abre y se expresa, va ayudando a que esa incomprensión se retire, aunque nunca será del todo. Digamos que se nos ve como «extraños» porque pensamos diferente. Yo, por ejemplo, siempre pienso a lo grande.

—¿Cuál fue la primera reacción de tus profesores cuando tu madre les llevó el dictamen sobre tu alta capacidad?

—Pese a hacer lo mismo que los demás, querían que yo lo hiciera todo perfecto. Me ponían más deberes que al resto y cosas así, pero no sabían cómo reaccionar ante mí. Cuando los profesores te hacen caso y se acercan a ti, tú también lo haces y vas perdiendo el miedo. Por el contrario, si ves que no te hacen caso, todavía te alejas más y te encierras; entonces el colegio se convierte en una fobia.

»Este curso nuevo todo será diferente, porque durante el verano mis profesores han preparado mi adaptación curricular y ahora siento una gran ilusión por que comiencen las clases.

e. Las asociaciones en España

El Ministerio de Educación, en su citado informe, señala:

> «A través de las asociaciones se puede conseguir mucha información, y la realización de dinámicas de grupo, entre otros muchos aspectos organizativos. Uno de los aspectos positivos que se consigue asistiendo a estos centros puede ser la disminución de la ansiedad, que se puede producir, en muchos casos, por la situación de tener un hijo con estas características.»

Estas asociaciones son las que en muchos casos asesoran a las administraciones educativas en sus comunidades autónomas, las que han promovido, en gran medida, el marco legal, pero sobre todo el marco jurisprudencial. Han propiciado las investigaciones científicas, así como los estudios, publicaciones y actuaciones de universidades, asesoramiento a profesores y un larguísimo etcétera a lo largo de los años, con actuaciones científicas serias, con muy pocos recursos económicos y enormes esfuerzos personales.

A la vez, son la mejor esperanza para obtener una escuela para todos; una escuela que, respetando las características individuales de cada uno, integre a todos los colectivos en el respeto al «derecho a la diversidad»; una escuela, en definitiva, que asuma la democracia que los ciudadanos nos hemos querido dar, como marco de civilizada convivencia.

A través de las asociaciones de altas capacidades se puede obtener información de los Centros de Identificación Especializados. En las páginas 296-298 ofrecemos una relación de las asociaciones con sus datos.

VIII. LA CONFEDERACIÓN ESPAÑOLA

En el informe del Ministerio de Educación, concretamente en su capítulo I, titulado «Marco normativo y consideraciones previas», se hace el siguiente reconocimiento:

> «Aunque el tema de los alumnos superdotados preocupa desde la antigüedad clásica, en España por unas y otras causas, ha sido relegado de los sistemas educativos de una manera clara y efectiva, a pesar de contemplarse en algunas normas legislativas al respecto. Este tema toma especial interés a partir de los trabajos de García Yagüe y colaboradores (1986), secundados posteriormente por rigurosos estudios e investigaciones de diversos autores, lo cual se ha traducido en una abundante, rigurosa y actualizada bibliografía, y en el interés que están demostrando diversas asociaciones para niños y jóvenes superdotados.»

Efectivamente, las asociaciones de padres de niños y jóvenes superdotados han sido, sin lugar a dudas, el motor que ha impulsado todo lo que se ha conseguido. Han impulsado las leyes que luego las Administraciones Educativas de las comunidades autónomas, los equipos de asesoramiento y los profesores han interpretado con carácter restrictivo; han impulsado, a través de sus socios, los padres de niños superdotados, la jurisprudencia, consiguiendo del Poder Judicial tanto la devolución de sus derechos ilegítimamente usurpados como la derogación de las normas legales excesivamente restrictivas para el ejercicio de estos derechos. También han impulsado y creado la amplia, rigurosa y actualizada doctrina científica a través de sus especialistas, realizando las actuaciones formativas para profesores directamente o consiguiendo convenios de colaboración con universidades.

Podemos también citar la labor de revistas como *Ensenyament*, a la que ya nos hemos referido, que se envía gratuitamente a todos los colegios de Catalunya, a todas las asociaciones de padres y alumnos, a todos los equipos de asesoramiento psicopedagógico y a todos los centros de recursos pedagógicos de Cataluña. En ella se da la información de páginas web, actividades para niños, colonias, campamentos como los que organiza todos los años AEST, actividades semanales como los «Talleres de superdotación» de AGRUPANS, convenios de asesoramiento a órganos de la Administración Educativa, etc.

¿Y qué decir del futuro?

Una voz tan autorizada como la de Joaquín Gairín afirmaba recientemente en una entrevista:

> «Creo que la atención a los estudiantes con necesidades educativas especiales asociadas a la sobredotación intelectual va a mejorar substancialmente en los próximos años. El hecho de que la Ley de

> Calidad se plantee incidir en este colectivo, el que las asociaciones estén mejor organizadas y sean más reivindicativas, una mayor presencia de reuniones científicas sobre el tema y una extensión de los estudios que al respeto se están haciendo justifican la afirmación realizada.»

Pues bien, para potenciar aún más las acciones de asociaciones, fundaciones y federaciones y obtener un amplio y democrático espacio de participación de todas ellas, para informar a los padres y garantizar su seriedad y honestidad, para obtener la máxima representación ante la sociedad y ante el Estado, se ha creado la Confederación Española de Asociaciones de Superdotación (CEAS). Si lo conseguido hasta la fecha ha sido fundamentalmente gracias al trabajo de las asociaciones en cada una de las respectivas comunidades autónomas, a veces con gran desconocimiento de unas con relación a las otras, la creación de la Confederación se puede calificar de hecho histórico para el futuro.

Y respecto a las esperanzas de mejora que el doctor Gairín pone en «el hecho de que las asociaciones estén mejor organizadas y sean más reivindicativas», hay que decir que la Confederación Española, el mismo día de su fundación, aprobó su primer «Manifiesto reivindicativo» (www.xarxabcn.net/insti-super) en el que se recogen todas las aspiraciones, nuevas y viejas, de esta ardua lucha. Pocos días después de su constitución, la Consejería de Educación de una comunidad autónoma pedía ya firmar un convenio de colaboración.

Para contactar con la Confederación Española de Asociaciones de Superdotación: tel: 91 542 05 09 / E-mail: confederacion_ceas@hotmail.com. Como ha afirmado la ministra de Educación, Cultura y Deporte, Pilar del Castillo:

«Creo que debemos felicitarnos todos por la creación de esa Confederación, que contribuirá a ofrecer una mejor atención educativa a las necesidades de los alumnos superdotados.»

Seguidamente, y para finalizar, ofrecemos las señas de las asociaciones y fundaciones que se integran en la Confederación Española:

ANDALUCÍA

ASA (Asociación de Superdotados de Andalucía).
E-mail: asa@ozu.es.Tel: 952 20 01 20.

ADOSSE (Asociación para el Desarrollo y Orientación del Sobredotado de Sevilla).
E-mail: adosse@mixmail.com.superdotados.Tel: 615 42 55 89.

ASUC (Asociación de Niños y Niñas Superdotados de Cádiz).
E-mail: asuc@ono.com. Tel: 956 07 81 39.

ARAGÓN

AAPS (Asociación Aragonesa de Psicopedagogía).
E-mail: jelgarzon@msn.com. Tel: 976 300 198.

ASTURIAS

APADAC (Asociación de Padres de Alumnos de Altas Capacidades del Principado de Asturias).
E-mail: apadac@teleline.es

CANARIAS

FANS (Fundación Canaria de Ayuda a los Niños Superdotados).
E-mail: fundacion.fans@terra.es. Tel: 928 46 36 97.

CATALUNYA

AGRUPANS (Agrupació de Pares i Nens Superdotats de Catalunya).
E-mail: agrupans2@hotmail.com. Tel: 93 285 02 59.

MADRID

AEST (Asociación Española para Superdotados y con Talento).
E-mail: aest@navegalia.com. Tel: 915 42 05 09.

ASGENTA (Asociación de Superdotados y Gente con Talento).
E-mail: asgentaadultos2001@yahoo.es.

NAVARRA

ANAST (Asociación Navarra de Superdotados).
E-mail: netanast@mixmail.com. Tel: 948 34 44 27.

VALENCIA

AVAST (Asociación Valenciana de Apoyo al Superdotado y Talentoso).
E.mail: avast@inicia.es. Tel: 963 41 86 14.

ACAST (Asociación Castellonense de Apoyo al Superdotado y Talentoso).
E-mail: mail@acast.org. Tel: 964 03 77 36.

Otras asociaciones prestigiosas

ASAC (Asociación de Altas Capacidades de Galicia).
Apartado de correos 724. Santiago de Compostela.
Tel: 661 95 29 17.

MENSA - España. E-mail: buzon@mensa.es. Apartado 35.126. Barcelona 08080.
(Se trata de una asociación internacional de adultos superdotados).